Envie de...
desserts

Bath · New York · Singapore · Hong Kong · Cologne · Delhi
Melbourne · Amsterdam · Johannesburg · Auckland · Shenzhen

Copyright © Parragon Books Ltd
Queen Street House
4 Queen Street
Bath, BA1 1HE
Royaume-Uni

Conception et réalisation : Terry Jeavons & Company

Copyright © Parragon Books Ltd 2008 pour l'édition française
Réalisation : InTexte, Toulouse

ISBN : 978-1-4075-1469-7

Imprimé en Chine

Une cuillerée à soupe correspond à 15 à 20 g d'ingrédients secs et à 15 ml d'ingrédients
liquides. Une cuillerée à café correspond à 3 à 5 g d'ingrédients secs et à 5 ml d'ingrédients
liquides. Sans autre précision, le lait est entier, les œufs sont de taille moyenne et le poivre
est du poivre noir fraîchement moulu. Les temps de préparation et de cuisson des recettes
pouvant varier en fonction, notamment, du four utilisé, ils sont donnés à titre indicatif.

La consommation des œufs crus ou peu cuits est déconseillée aux enfants, aux personnes
âgées, malades ou convalescentes, et aux femmes enceintes.

Envie de...

desserts

introduction

Même après avoir trop mangé, on a toujours envie d'un bon dessert ! Si vous faites partie de ceux qui ne peuvent résister à la vue des gourmandises dont se délectent vos voisins de table à votre restaurant préféré, cet ouvrage est fait pour vous !

Les envies de sucré varient selon les saisons et les moments de la journée. Un pudding, par exemple, est tout indiqué pour égayer les longues soirées d'hiver. Pensez aux délicieux arômes qui émanent de la cuisine lorsque vous faites cuire un pudding au four, ou au plaisir de démouler un pudding préparé au bain-marie ! La seule vue de ces spécialités venues d'outre-Manche vous mettra du baume au cœur et ravira votre famille ou vos invités.

Tartes, tourtes et autres variantes sont certainement les desserts qui peuvent s'accommoder au plus grand nombre de situations. Elles font non

seulement de merveilleux desserts, mais également des en-cas fabuleux. Une tartelette pour le thé de quatre heures ou une part de tourte le matin, avec son café : voilà des perspectives alléchantes !

Les desserts à base de fruits, quant à eux, sont parfaits pour conclure un repas consistant. Vos invités seront toujours ravis de finir sur une note sucrée, même s'ils n'ont plus faim ! C'est aussi une agréable manière de mettre à profit les fruits de saison. Votre voisine vous a fait cadeau de quelques pommes ou abricots de son jardin : n'hésitez pas, lancez-vous dans la préparation d'une tarte.

Les entremets et les desserts glacés constituent une élégante manière d'achever un bon repas. Ne pensez pas qu'il faille réserver

ces desserts aux soirées d'été. Même en hiver, on ne saurait bouder une coupe de crème glacée – rien ne vous empêche de faire comme vos héroïnes de films préférées, qui se remontent le moral avec de gros pots de glaces. Faites maison, les glaces sont encore meilleures !

gâteaux
& puddings

Un vrai pudding se doit d'être servi chaud, directement à la sortie du four ou juste après avoir été retiré du bain-marie. Il n'existe pas de mots pour décrire les arômes qui s'en dégagent, et les saveurs sont tout bonnement divines. Rien de mieux pour se mettre du baume au cœur ! Même si le temps est triste, vous aurez l'impression d'avoir un brin de soleil dans votre cuisine.

Le mot *pudding*, qui nous vient d'outre-Manche, désigne une grande variété de desserts différents. Si vous êtes amateur de chocolat, choisissez le pudding au chocolat et aux noix de pécan. Vous découvrirez alors une texture légère et moelleuse sous laquelle se cache une sauce onctueuse et totalement irrésistible. Sinon, pourquoi ne pas essayer le soufflé au chocolat et son sabayon au café ? Ces gourmandises sont servies dans des ramequins et il se peut que vous deviez en prévoir plus d'un par personne !

Lorsque les soirées se réchauffent, les envies sont plus à la légèreté. Vous pourrez alors servir un crumble aux pommes et aux mûres.

Les puddings cuits à la vapeur, quant à eux, révèlent une sauce irrésistible au moment où ils sont démoulés. Le pudding au sirop en est peut-être le plus bel exemple.

pudding au chocolat et aux noix de pécan

ingrédients

POUR 4 À 6 PERSONNES

55 g de farine levante

25 g de cacao en poudre

85 g de beurre, ramolli,
    un peu plus pour graisser

1 cuil. à café de cannelle
    en poudre

115 g de sucre en poudre
    blond

1 œuf

2 cuil. à soupe de sucre
    en poudre roux

55 g de noix de pécan,
    concassées

300 ml de café fort chaud

sucre glace, pour saupoudrer

crème fouettée,
    en accompagnement

méthode

1 Dans une jatte, tamiser la farine, le cacao et la cannelle, ajouter le beurre, 85 g de sucre blond et l'œuf, et bien battre le tout. Transférer dans un plat graisser peu profond d'une contenance de 1,2 l, saupoudrer de sucre roux et parsemer de noix de pécan.

2 Verser le café dans une jatte, ajouter le sucre blond restant et mélanger jusqu'à ce qu'il soit dissous. Verser le mélange obtenu dans le plat.

3 Cuire au four préchauffé 50 minutes à 1 heure à 160 °C (th. 5-6), jusqu'à ce que le pudding soit ferme au centre. Saupoudrer de sucre glace et servir accompagné de crème fouettée.

pudding au pain beurré

ingrédients

POUR 4 À 6 PERSONNES

85 g de beurre, ramolli

6 tranches de pain épaisses

55 g de raisins secs

25 g de fruits confits

3 gros œufs

300 ml de lait

150 ml de crème fraîche
épaisse

55 g de sucre en poudre

noix muscade fraîchement
râpée

1 cuil. à soupe de sucre
en poudre roux

crème fraîche,
en accompagnement

méthode

1 Beurrer un plat de 20 x 25 cm. Couper le pain en carrés, beurrer et répartir la moitié des carrés dans le plat de sorte qu'ils se chevauchent.

2 Parsemer de la moitié des raisins secs et des fruits confits, ajouter les carrés de pain restants et garnir des raisins secs et des fruits confits restants.

3 Dans une jatte, battre les œufs, ajouter le lait, la crème fraîche et le sucre, et verser le mélange obtenu dans le plat. Laisser reposer 15 minutes de sorte que le pain absorbe le mélange à base d'œufs. Enfoncer les raisins secs et les fruits confits dans la préparation de sorte qu'ils ne brûlent pas à la cuisson. Saupoudrer de noix muscade et de sucre roux.

4 Mettre le plat sur une plaque en haut du four et cuire au four préchauffé 30 à 40 minutes à 180 °C (th. 6), jusqu'à ce que le pudding ait pris et soit doré.

5 Servir chaud, accompagné de crème fraîche.

pudding au panettone

ingrédients

POUR 6 PERSONNES

3 cuil. à soupe de beurre,
    ramolli, un peu plus pour
    graisser

250 g de panettone, coupé
    en tranches

225 ml de lait

225 ml de crème fraîche
    épaisse

1 gousse de vanille, fendue

3 œufs

115 g de sucre en poudre
    blond

2 cuil. à soupe de confiture
    d'abricots, chauffée
    et filtrée

méthode

1 Graisser un plat d'une contenance de 850 ml. Beurrer les tranches de panettone et répartir dans le plat. Dans une casserole, mettre le lait, la crème fraîche et la gousse de vanille, et porter au point d'ébullition à feu doux. Battre les œufs avec le sucre en poudre, ajouter dans la casserole et bien mélanger le tout.

2 Filtrer la crème obtenue, verser dans le plat et laisser reposer 1 heure de sorte que le panettone absorbe la crème. Préchauffer le four à 160 °C (th. 5-6).

3 Cuire au four préchauffé 40 minutes et napper de confiture d'abricots. Si le pudding n'est pas doré et croustillant, passer 1 minute au gril préchauffé à haute température avant de servir.

pudding aux nouilles allemand

ingrédients

POUR 4 PERSONNES

4 cuil. à soupe de beurre,
un peu plus pour graisser

175 g de nouilles aux œufs

115 g de fromage à la crème

225 g de faisselle

85 g de sucre en poudre

2 œufs, légèrement battus

125 ml de crème aigre

1 cuil. à café d'extrait
de vanille

1 pincée de cannelle
en poudre

1 cuil. à café de zeste
de citron râpé

25 g d'amandes effilées

25 g de chapelure blanche

sucre glace, pour saupoudrer

méthode

1 Beurrer un plat allant au four. Porter une casserole d'eau à ébullition, ajouter les nouilles et porter de nouveau à ébullition. Cuire jusqu'à ce que les nouilles soient *al dente*, égoutter et réserver.

2 Battre le fromage à la crème avec la faisselle et le sucre en poudre jusqu'à obtention d'une consistance homogène. Incorporer les œufs un à un, ajouter la crème aigre, l'extrait de vanille, la cannelle et le zeste de citron, et bien mélanger le tout. Incorporer les nouilles, transférer la préparation obtenue dans le plat et lisser la surface.

3 Dans un poêle, faire fondre le beurre à feu doux, ajouter les amandes et cuire 1 minute à 1 min 30 sans cesser de remuer, jusqu'à ce qu'elles soient dorées. Retirer la poêle du feu, ajouter la chapelure et mélanger.

4 Répartir les amandes et la chapelure dans le plat et cuire au four préchauffé 30 à 40 minutes à 180 °C (th. 6), jusqu'à ce que le pudding ait pris. Saupoudrer de sucre glace et servir.

pudding renversé

ingrédients

POUR 6 À 8 PERSONNES

225 g de beurre, un peu plus
        pour graisser

55 g de sucre en poudre
        blond

14 à 16 noisettes

600 g d'oreillons d'abricots
        en boîte, égouttés

175 g de sucre en poudre
        roux

3 œufs, battus

175 g de farine levante

55 g de poudre de noisette

2 cuil. à soupe de lait

crème fraîche ou crème
        anglaise, en garniture

méthode

1 Battre 55 g de beurre en crème avec le sucre blond et étaler dans le fond d'un moule à cake de 25 cm graissé et chemisé. Placer chaque noisette dans un oreillon d'abricot et renverser l'oreillon sur le fond du moule. Les abricots doivent recouvrir toute la surface du moule.

2 Battre le beurre restant en crème avec le sucre roux jusqu'à ce que le mélange blanchisse et incorporer les œufs un à un. Ajouter la farine, la poudre de noisette et le lait, mélanger et répartir le tout sur les abricots.

3 Cuire au four préchauffé 45 minutes à 180 °C (th. 6), jusqu'à ce que le centre du pudding ait levé et soit doré. Passer un couteau le long des parois du moule de façon à détacher le pudding, retourner sur un plat de service chaud et servir nappé de crème fraîche ou de crème anglaise.

gâteau au chocolat
et sa crème au romarin

ingrédients

POUR 8 PERSONNES

150 g de chocolat noir, brisé
en morceaux

115 g de beurre, un peu plus
pour graisser

3 gros œufs, blancs et jaunes
séparés, plus 1 blanc
d'œuf

115 g de sucre en poudre
blond

³/₄ cuil. à café de crème
de tartre

2 cuil. à soupe de farine

1 cuil. à café de cannelle
en poudre

3 cuil. à soupe de poudre
d'amande

sucre glace, pour saupoudrer

brins de romarin frais, pour
décorer

crème au romarin

2 brins de romarin frais

1 gousse de vanille, fendue

300 ml de crème fraîche
liquide

150 ml de lait

5 gros jaunes d'œufs

3 cuil. à soupe de sucre
en poudre

méthode

1 Faire fondre le chocolat avec le beurre au bain-marie et incorporer les jaunes d'œufs et la moitié du sucre. Monter les blancs d'œufs en neige souple avec la crème de tartre, puis monter en neige ferme en incorporant le sucre restant progressivement. Dans une jatte, tamiser la farine et la cannelle, ajouter la poudre d'amande et incorporer le tout aux blancs en neige. Ajouter le mélange au chocolat fondu.

2 Répartir la préparation obtenue dans un moule graissé et chemisé de 22 cm de diamètre et placer dans un plat allant au four. Verser de l'eau chaude dans le plat de sorte que le moule soit immergé à demi et cuire au four préchauffé 1 heure à 180 °C (th. 6), jusqu'à ce que le gâteau soit souple au toucher. Retirer le moule du plat, couvrir et laisser reposer 10 minutes. Démouler sur une grille et laisser refroidir.

3 Pour la crème, mettre le romarin, la vanille, la crème fraîche et le lait dans une casserole, porter au point de frémissement et retirer du feu. Laisser infuser 30 minutes. Battre les jaunes d'œufs avec le sucre jusqu'à ce que le mélange blanchisse. Réchauffer la crème, filtrer et ajouter au mélange à base de jaunes d'œufs. Chauffer au bain-marie de sorte que la crème épaississe. Saupoudrer le gâteau de sucre glace, garnir de romarin et servir accompagné de crème.

clafoutis aux cerises et au chocolat

ingrédients

POUR 6 À 8 PERSONNES

450 g de cerises noires, dénoyautées

beurre, pour graisser

2 cuil. à soupe de sucre cristallisé

3 œufs

55 g de sucre en poudre blond

55 g de farine levante

2 cuil. à soupe de cacao en poudre

150 ml de crème fraîche

300 ml de lait

2 cuil. à soupe de kirsch (facultatif)

sucre glace, pour saupoudrer

cerises noires entières, pour décorer

crème fraîche, en accompagnement

méthode

1 Répartir les cerises dans un plat graissé de 23 cm de côté, saupoudrer de sucre cristallisé et réserver.

2 Dans une jatte, mettre les œufs et le sucre en poudre, et battre jusqu'à ce que le mélange blanchisse. Tamiser la farine et le cacao sur une assiette, ajouter au mélange précédent en une seule fois et bien battre le tout. Incorporer la crème fraîche, le lait et le kirsch, et verser la préparation obtenue sur les cerises.

3 Cuire au four préchauffé 50 minutes à 1 heure à 190 °C (th. 6-7), jusqu'à ce que le clafoutis ait pris au centre et qu'il ait légèrement levé.

4 Saupoudrer de sucre glace, parsemer de cerises entières et servir chaud, accompagné de crème fraîche.

pudding aux mûres

ingrédients

POUR 4 PERSONNES

450 g de mûres

75 g de sucre en poudre

6 cuil. à soupe de beurre,
    fondu, un peu plus
    pour graisser

1 œuf

75 g de sucre en poudre roux

8 cuil. à soupe de lait

125 g de farine levante

sucre, pour saupoudrer

méthode

1 Mélanger les mûres et le sucre en poudre, et répartir dans un plat allant au four légèrement beurré.

2 Dans une jatte, battre l'œuf avec le sucre roux et incorporer le beurre fondu et le lait. Tamiser la farine dans la jatte et mélanger en procédant avec des mouvements en huit de façon à obtenir une pâte homogène.

3 Répartir délicatement la pâte sur les mûres et cuire au four préchauffé 25 à 30 minutes à 180 °C (th. 6), jusqu'à ce que le pudding soit ferme et doré. Saupoudrer de sucre et servir chaud.

cobbler à la pêche

ingrédients

POUR 4 À 6 PERSONNES

6 pêches, pelées et coupées
    en lamelles

4 cuil. à soupe de sucre
    en poudre

1/2 cuil. à soupe de jus
    de citron

1 1/2 cuil. à café de maïzena

1/2 cuil. à café d'extrait
    d'amande ou de vanille

crème glacée à la vanille
    et aux noix de pécan,
    en accompagnement
    (facultatif)

garniture

175 g de farine

115 g de sucre en poudre

1 1/2 cuil. à café de levure

1/2 cuil. à café de sel

85 g de beurre, coupé en dés

1 œuf

5 à 6 cuil. à soupe de lait

méthode

1 Dans un plat de service carré de 23 cm de côté allant au four, mettre les pêches, ajouter le sucre, le jus de citron, la maïzena et l'extrait d'amande, et bien mélanger le tout. Cuire au four préchauffé 20 minutes à 220 °C (th. 7-8).

2 Pour la garniture, tamiser la farine, le sucre excepté 2 cuillerées à soupe, la levure et le sel dans une jatte et incorporer le beurre avec les doigts de façon à obtenir une consistance de chapelure. Mélanger l'œuf et 5 cuillerées à soupe de lait et incorporer dans la jatte en remuant à l'aide d'une fourchette jusqu'à obtention d'une pâte collante. Si la pâte est trop sèche, incorporer la cuillerée à soupe de lait restante.

3 Réduire la température du four à 200 °C (th. 6-7). Retirer les pêches du four, garnir de cuillerées à soupe de pâte sans lisser la surface et saupoudrer du sucre réservé. Cuire au four encore 15 minutes, jusqu'à ce que le cobbler soit doré et ferme – la garniture doit s'étaler à la cuisson. Servir chaud ou à température ambiante, accompagné de crème glacée à la vanille et aux noix de pécan.

crumble aux pommes et aux mûres

ingrédients

POUR 6 PERSONNES

450 g de pommes à cuire

450 g de mûres

115 g de sucre en poudre

4 cuil. à soupe d'eau

crème fraîche, yaourt
    ou crème anglaise,
    en accompagnement

crumble

175 g de farine complète

6 cuil. à soupe de beurre

85 g de sucre roux

1 cuil. à café de poivre
    de la Jamaïque

méthode

1 Couper les pommes en quartiers, peler et vider. Répartir dans un plat allant au four, ajouter les mûres et le sucre en poudre, et verser l'eau.

2 Pour le crumble, mettre la farine dans une jatte, incorporer le beurre avec les doigts jusqu'à obtention d'une consistance de chapelure et ajouter le sucre et le poivre de la Jamaïque. Répartir le crumble sur les fruits et presser à l'aide d'une fourchette.

3 Mettre le plat sur une plaque et cuire au four préchauffé 25 à 30 minutes à 190 °C (th. 6-7), jusqu'à ce que le crumble soit doré.

4 Servir chaud, accompagné de crème fraîche, de yaourt ou de crème anglaise.

pudding au chocolat

ingrédients

POUR 4 À 6 PERSONNES

115 g de beurre, ramolli,
   un peu plus pour graisser

115 g de sucre en poudre
   blond

2 œufs, battus

85 g de farine levante

25 g de cacao en poudre

1 à 2 cuil. à soupe de lait
   (facultatif)

100 g de pépites de chocolat
   noir

sauce

55 g de beurre

55 g de sucre en poudre
   blond

3 cuil. à soupe de cognac

55 g de noisettes entières,
   mondées

55 g d'un mélange de fruits
   secs

méthode

1 Graisser un moule à pudding d'une contenance de 1,2 l et chemiser le fond d'un rond de papier sulfurisé. Dans une jatte, battre le beurre en crème avec le sucre jusqu'à ce que le mélange blanchisse et incorporer les œufs un à un. Tamiser la farine et le cacao dans la jatte et mélanger. Ajouter assez de lait pour obtenir une consistance qui nappe la cuillère et incorporer les pépites de chocolat.

2 Répartir la préparation obtenue dans le moule. Couper un rond de papier sulfurisé et un rond de papier d'aluminium, d'un diamètre de 7,5 cm de plus que celui du moule. Mettre le papier sulfurisé sur le papier d'aluminium, graisser et former un pli au centre. Mettre les ronds sur le moule, papier sulfurisé contre la préparation, et maintenir avec de la ficelle. Disposer le moule sur une trépied dans une casserole et remplir la casserole d'eau de sorte que le moule soit immergé à demi. Couvrir et cuire 1 h 30, en ajoutant de l'eau bouillante supplémentaire si nécessaire.

3 Pour la sauce, mettre le beurre et le sucre dans une casserole, chauffer à feu doux jusqu'à ce que le sucre soit dissous et caramélisé. Ajouter le cognac et laisser frémir 1 minute. Incorporer les noisettes et les fruits secs. Démouler le pudding sur une assiette, napper de sauce et servir immédiatement.

pudding au sirop

ingrédients

POUR 6 PERSONNES

115 g de beurre, un peu plus
    pour graisser

2 cuil. à soupe de mélasse
    (raffinée), un peu plus
    pour servir

115 g de sucre en poudre

2 œufs, légèrement battus

175 g de farine levante

2 cuil. à soupe de lait

zeste râpé d'un citron

méthode

1 Beurrer un moule à pudding d'une contenance de 1,2 l et répartir la mélasse au fond.

2 Dans une jatte, battre le beurre en crème avec le sucre jusqu'à ce que le mélange blanchisse et incorporer les œufs un à un. Ajouter la farine et le lait, et mélanger jusqu'à obtention d'une consistance qui nappe la cuillère. Ajouter le zeste de citron, transférer le tout dans le moule et couvrir d'un rond de papier sulfurisé, recouvert d'un rond de papier d'aluminium. Fixer avec de la ficelle de cuisine, froisser les bords du papier d'aluminium de sorte que le moule soit fermé hermétiquement.

3 Mettre le moule dans une casserole, verser de l'eau dans la casserole de sorte que le moule soit immergé à demi et couvrir. Porter à ébullition à feu moyen, réduire le feu et cuire 1 h 30 en ajoutant de l'eau bouillante supplémentaire si nécessaire, jusqu'à ce que le pudding ait levé et soit ferme. Ajouter de l'eau en cours de cuisson si nécessaire.

4 Retirer la casserole du feu, sortir le moule de l'eau et retirer le papier sulfurisé et le papier d'aluminium. Détacher le pudding des parois du moule à l'aide d'un couteau, démouler sur un plat de service chaud et arroser de mélasse. Servir immédiatement.

pudding chocolaté
aux canneberges

ingrédients

POUR 4 PERSONNES

4 cuil. à soupe de beurre,
   un peu pour graisser

4 cuil. à soupe de sucre roux,
   un peu plus pour
   saupoudrer

85 g de canneberges

1 grosse pomme à cuire,
   pelée, évidée et coupée
   en dés

2 œufs, légèrement battus

85 g de farine levante

3 cuil. à soupe de cacao
   en poudre

sauce

175 g de chocolat noir, brisé
   en carré

400 ml de lait concentré sucré

1 cuil. à café d'extrait
   de vanille

1/2 cuil. à café d'extrait
   d'amande

méthode

1 Beurrer un moule à pudding d'une contenance de 1,2 l, saupoudrer les parois de sucre roux et secouer de façon à retirer l'excédent. Mettre les canneberges et la pomme dans le moule.

2 Dans une autre jatte, mettre le beurre, le sucre et les œufs, tamiser la farine et le cacao dans la jatte et bien battre le tout. Répartir la préparation obtenue sur les fruits, couvrir avec un rond de papier sulfurisé, recouvert d'un rond de papier d'aluminium. Fixer avec de la ficelle, mettre dans un panier à étuver et cuire 1 heure à la vapeur, jusqu'à ce que le pudding ait levé. Ajouter de l'eau en cours de cuisson si nécessaire.

3 Pour la sauce, faire fondre le chocolat avec le lait au bain-marie sans cesse de remuer jusqu'à ce que le chocolat ait fondu. Retirer du feu, incorporer les extraits de vanille et d'amande, et battre jusqu'à obtention d'une consistance épaisse et homogène.

4 Sortir le pudding du panier à étuver, retirer le rond de papier sulfurisé et d'aluminium, et décoller le pudding des parois du moule à l'aide d'un couteau. Démouler sur un plat de service et servir immédiatement, nappé de sauce.

génoise aux dattes et sa sauce au caramel

ingrédients

POUR 4 PERSONNES

75 g de raisins secs

150 g de dattes dénoyautées,
   hachées

1 cuil. à café de bicarbonate

2 cuil. à soupe de beurre,
   un peu plus pour graisser

200 g de sucre roux

2 œufs

200 g de farine, tamisée

zeste râpé d'une orange,
   en garniture

crème fouettée,
   en accompagnement

sauce au caramel

2 cuil. à soupe de beurre

175 ml de crème fraîche
   épaisse

200 g de sucre roux

méthode

1 Pour la génoise, mettre le bicarbonate et les dattes dans une jatte, couvrir d'eau bouillante et laisser tremper.

2 Dans une autre jatte, battre le beurre en crème avec le sucre, ajouter les œufs et la farine et mélanger le tout. Égoutter les dattes et ajouter au mélange précédent. Répartir la préparation obtenue dans un moule beurré de 20 cm de diamètre et cuire au four préchauffé 35 à 40 minutes à 180 °C (th. 6), jusqu'à ce que la pointe d'un couteau piquée au centre ressorte sans trace de pâte. Environ 5 minutes avant la fin de la cuisson, commencer la préparation de la sauce. Dans une casserole, faire fondre le beurre à feu doux, ajouter la crème fraîche et le sucre, et porter à ébullition sans cesser de remuer. Réduire le feu et laisser mijoter 5 minutes.

3 Démouler la génoise sur un plat de service et napper de sauce. Décorer de zeste d'orange et servir accompagné de crème fouettée.

petits puddings aux noix et au café

ingrédients

POUR 6 PERSONNES

1 cuil. à soupe de café
    en poudre instantané

150 g de farine levante

1 cuil. à café de cannelle
    en poudre

55 g de beurre, ramolli,
    un peu plus pour graisser

55 g de sucre roux

2 gros œufs, battus

55 g de noix, finement
    hachées

sauce aux noix

25 g de noix, concassées

55 g de beurre

55 g de sucre roux

150 ml de crème fraîche
    épaisse

méthode

1 Délayer le café en poudre dans 2 cuillerées à soupe d'eau bouillante. Tamiser la farine et la cannelle dans une jatte. Dans une autre jatte, battre le beurre en crème avec le sucre jusqu'à ce que le mélange blanchisse et incorporer les œufs un à un. Ajouter la moitié du mélange à base de farine, mélanger et incorporer le mélange à base de farine restant en alternant avec le café. Ajouter les noix et mélanger.

2 Répartir la préparation dans 6 petits moules à puddings métalliques, couvrir chacun avec un rond de papier d'aluminium beurré et fixer avec de la ficelle. Mettre les moules dans un plat allant au four, verser de l'eau bouillante dans le plat de sorte que les moules soient immergés à demi et couvrir le plat avec un dôme de papier d'aluminium.

3 Cuire au four préchauffé 30 à 40 minutes à 190 °C (th. 6-7), jusqu'à ce que les puddings aient levé et soient fermes au toucher.

4 Pour la sauce, mettre tous les ingrédients dans une casserole, chauffer à feu doux jusqu'à obtention d'une consistance homogène. Porter au point de frémissement et retirer du feu. Démouler les génoises sur des assiettes à dessert, napper de sauce et servir.

petits puddings au chocolat et à la liqueur de café

ingrédients

POUR 4 PERSONNES

100 g de sucre en poudre

3 œufs

75 g de farine

50 g de cacao en poudre

100 g de beurre, fondu,
un peu plus pour graisser

100 g de chocolat noir, fondu

grains de café enrobés,
en décoration

sauce au chocolat

2 cuil. à soupe de beurre

100 g de chocolat noir

5 cuil. à soupe d'eau

1 cuil. à soupe de sucre
en poudre

1 cuil. à soupe de liqueur
de café

méthode

1 Pour les puddings, mettre le sucre et les œufs dans une jatte, disposer la jatte sur une casserole d'eau frémissante et battre 10 minutes, jusqu'à obtention d'une consistance mousseuse. Retirer la jatte de la casserole et incorporer la farine et le cacao. Ajouter le beurre et le chocolat, et bien mélanger le tout.

2 Beurrer 4 moules à puddings, répartir la préparation obtenue dans les moules et couvrir chacun d'un rond de papier sulfurisé, recouvert d'un rond de papier d'aluminium. Fixer avec de la ficelle, transférer dans une casserole et verser de l'eau bouillante dans la casserole de sorte que les moules soient immergés à demi. Cuire 40 minutes à la vapeur, jusqu'à ce que les puddings soient bien cuits.

3 Environ 2 à 3 minutes avant la fin de la cuisson, commencer la préparation de la sauce. Dans une jatte, mettre le beurre, le chocolat, l'eau et le sucre, chauffer à feu doux sans cesser de remuer, jusqu'à ce que le chocolat et le beurre aient fondu. Incorporer la liqueur.

4 Retirer les puddings de la casserole, démouler sur des assiettes à dessert et napper de sauce. Décorer de grains de café enrobés et servir.

petits fondants au chocolat

ingrédients

POUR 4 PERSONNES

100 g de beurre, un peu plus
pour graisser

100 g de chocolat noir, brisé
en carrés

2 gros œufs

1 cuil. à café d'extrait
de vanille

100 g de sucre en poudre
roux, un peu plus pour
saupoudrer

2 cuil. à soupe de farine

sucre glace, pour saupoudrer

crème glacée,
en accompagnement

méthode

1 Mettre le beurre et le chocolat dans une jatte, disposer la jatte sur une casserole d'eau frémissante et chauffer jusqu'à ce que le beurre et le chocolat aient fondu. Mélanger jusqu'à obtention d'une consistance homogène et réserver.

2 Dans une autre jatte, mettre les œufs, l'extrait de vanille, le sucre en poudre et la farine, battre le tout et incorporer le mélange précédent. Répartir la préparation dans 4 ramequins d'une contenance de 175 ml, beurrés et saupoudrés de sucre. Mettre sur une plaque et cuire au four préchauffé 12 à 15 minutes à 200 °C (th. 6-7), jusqu'à ce que les fondants aient levé. Ils doivent avoir pris à l'extérieur et être fondants à l'intérieur.

3 Laisser reposer 1 minute, démouler sur des assiettes à dessert et saupoudrer de sucre glace. Servir immédiatement, accompagné de crème glacée.

soufflé au Grand Marnier

ingrédients

POUR 4 PERSONNES

55 g de sucre en poudre,
un peu plus pour
saupoudrer

3 gros œufs, blancs et jaunes
séparés, plus 1 gros œuf
entier et 1 gros blanc
d'œuf

4 cuil. à soupe de farine

300 ml de lait

1/4 de cuil. à café d'extrait
de vanille

1/2 cuil. à soupe de zeste
d'orange finement râpé

2 1/2 cuil. à soupe de Grand
Marnier

1/4 de cuil. à café de crème
de tartre

beurre, pour graisser

sucre glace, pour décorer

méthode

1 À l'aide d'un batteur électrique, battre l'œuf entier avec 1 jaune d'œuf et le sucre en poudre, jusqu'à ce que le mélange blanchisse. Ajouter la farine et incorporer progressivement le lait et l'extrait de vanille.

2 Transférer dans une casserole, chauffer à feu moyen et porter lentement à ébullition sans cesser de battre jusqu'à obtention d'une consistance épaisse. Réduire le feu et laisser mijoter 2 minutes sans cesser de battre. Retirer du feu, incorporer les jaunes d'œufs restants un à un, et laisser tiédir. Incorporer le zeste d'orange et le Grand Marnier.

3 Laver et sécher le batteur. Mettre les blancs d'œufs dans une jatte, monter en neige souple, incorporer la crème de tartre et battre de nouveau jusqu'à obtention d'une neige ferme.

4 Incorporer quelques cuillerées de blancs en neige à la préparation précédente, ajouter le mélange obtenu aux blancs en neige restants et mélanger à l'aide d'une cuillère métallique avec des mouvements en huit.

5 Répartir la préparation obtenue dans un moule à soufflé d'une contenance de 1,75 l beurré et saupoudré de sucre. Placer sur une plaque chaude et cuire au four préchauffé 45 minutes à 180 °C (th. 6), jusqu'à ce que le soufflé ait bien levé et soit doré. Saupoudrer de sucre glace et servir immédiatement.

petits soufflés au cappuccino

ingrédients

POUR 4 PERSONNES

beurre, pour graisser

25 g de sucre roux
en poudre, un peu plus
pour saupoudrer

6 cuil. à soupe de crème
fraîche épaisse

2 cuil. à café de café soluble

2 cuil. à café de Kahlúa

3 gros œufs, blancs et jaunes
séparés

150 g de chocolat noir,
fondu et refroidi

cacao en poudre,
pour décorer

glace à la vanille,
en accompagnement

méthode

1 Préchauffer le four à 190 °C (th. 6-7). Beurrer 6 ramequins d'une contenance de 175 ml, saupoudrer les parois de sucre en poudre et disposer sur une plaque de four. Dans une casserole, mettre la crème fraîche, chauffer à feu doux et ajouter le café en remuant, de façon à le dissoudre. Incorporer le Kahlúa et garnir les ramequins de la préparation obtenue.

2 Dans une jatte propre, monter les blancs d'œufs en neige ferme en ajoutant le sucre progressivement. Dans une autre jatte, mélanger les jaunes d'œufs et le chocolat, ajouter un peu de blancs en neige et incorporer progressivement les blancs en neige restants.

3 Répartir la préparation dans les ramequins, cuire au four préchauffé 15 minutes, jusqu'à ce que les soufflés aient pris, et saupoudrer de cacao. Servir avec de la glace à la vanille.

soufflé au chocolat et son sabayon au café

ingrédients

POUR 4 À 6 PERSONNES

3 cuil. à soupe de maïzena

250 ml de lait

115 g de chocolat noir, brisé
en carrés

4 œufs, blancs et jaunes
séparés

55 g de sucre en poudre
blond, un peu plus
pour saupoudrer

beurre, pour graisser

sucre glace, pour saupoudrer

sabayon

2 œufs

3 jaunes d'œufs

85 g de sucre en poudre
blond

4 cuil. à café de café
en poudre soluble

2 cuil. à soupe de cognac

méthode

1 Pour le soufflé, mettre la maïzena dans une jatte et délayer dans un peu de lait de façon à obtenir une pâte homogène. Verser le lait restant dans une casserole, ajouter le chocolat et chauffer à feu doux jusqu'à ce que le chocolat ait fondu. Mélanger, incorporer à la pâte de maïzena et reverser le tout dans la casserole. Porter à ébullition sans cesser de remuer, laisser mijoter 1 minute et retirer du feu. Incorporer les jaunes d'œufs un à un, couvrir et laisser tiédir.

2 Battre les blancs d'œufs en neige souple, puis battre en neige ferme en incorporant le sucre progressivement. Ajouter un peu de la préparation à base de chocolat, mélanger et incorporer la préparation restante. Répartir dans un moule à soufflé d'une contenance de 1 litre beurré et saupoudré de sucre, et cuire au four préchauffé 40 minutes à 190 °C (th. 6-7), jusqu'à ce que le soufflé ait bien levé et s'affaisse légèrement lorsqu'il est pressé du bout du doigt.

3 Pour le sabayon, mettre tous les ingrédients dans une casserole, chauffer à feu doux et cuire sans cesser de battre jusqu'à obtention d'une consistance épaisse et homogène. Saupoudrer le soufflé de sucre glace et servir immédiatement, accompagné de sabayon.

pudding à l'anglaise

ingrédients

POUR 8 PERSONNES

600 ml de lait

2 cuil. à soupe de beurre,
un peu plus pour graisser

225 g de sucre en poudre

zeste finement râpé
d'une orange

4 œufs, blancs et jaunes
séparés

85 g de chapelure fraîche

1 pincée de sel

6 cuil. à soupe de confiture
d'oranges

méthode

1 Pour le pudding, mettre le lait, le beurre, 75 g de sucre et le zeste d'orange dans une casserole et chauffer à feu doux jusqu'à ce que le tout soit bien chaud.

2 Dans une jatte, battre légèrement les jaunes d'œufs, incorporer progressivement le mélange précédent et ajouter la chapelure. Transférer la préparation obtenue dans un plat allant au four et laisser reposer 15 minutes.

3 Cuire au four préchauffé 20 à 25 minutes à 180 °C (th. 6), jusqu'à ce que le pudding ait pris. Sortir du four mais laisser le four allumé.

4 Pour la meringue, monter les blancs d'œufs en neige avec le sel et incorporer le sucre restant progressivement.

5 Napper le pudding de confiture d'oranges et garnir de meringue à l'aide d'une spatule ou d'une poche à douille.

6 Cuire le tout au four encore 20 minutes, jusqu'à ce que la meringue soit croustillante et dorée. Servir chaud.

gâteau de riz crémeux

ingrédients

POUR 4 PERSONNES

1 cuil. à soupe de beurre,
    pour graisser

85 g de raisins secs

5 cuil. à soupe de sucre

90 g de riz

1,2 l de lait

1 cuil. à café d'extrait
    de vanille

zeste finement râpé
    d'un gros citron

1 pincée de noix muscade

pistaches hachées,
    pour décorer

méthode

1 Beurrer un moule allant au four d'une
contenance de 850 ml.

2 Dans une jatte, mettre les raisins secs, le sucre
et le riz, ajouter le lait et l'extrait de vanille,
et transférer le mélange obtenu dans le moule.
Parsemer de zeste de citron et de noix muscade,
et cuire au four préchauffé 2 h 30 à 160 °C
(th. 5-6).

3 Retirer du four, transférer dans des bols et
décorer de pistaches hachées.

tartes & tourtes

L'inventeur de la pâte à tarte devrait être canonisé ! Comment pourrait-on se passer de ces merveilles que sont tartes, tartelettes et autres tourtes ? Une pâte dorée et croustillante met considérablement en valeur son contenu, des simples pommes sucrées aux crèmes les plus riches.

Les garnitures les plus savoureuses sont peut-être celles aux fruits. Les idées et les recettes ne manquent pas : de la traditionnelle tourte aux pommes à l'ancienne – n'ayez pas la main légère sur les épices, l'arôme et la saveur n'en seront que meilleurs –, à la délicate tarte aux figues et à la ricotta aux notes méditerranéennes, en passant par la tarte tatin aux pêches et au gingembre confit, ou par les originales tartelettes légères aux fruits – de la pâte filo croustillante garnie de lamelles de pomme et de poire.

Si vous recevez de vrais gourmands, pensez à l'impressionnant banoffee. Même s'il faut laisser mijoter le lait concentré deux bonnes heures, la garniture est relativement rapide et facile à préparer. De même, les tartelettes à la crème brûlée comportent deux desserts en un – la traditionnelle crème brûlée dans une pâte brisée faite maison.

Si vous avez peu de temps à consacrer à la cuisine, choisissez une recette qui préconise une pâte prête à l'emploi.

banoffee

ingrédients

POUR 4 PERSONNES

garniture

3 boîte de lait concentré
sucré de 400 g chacune

4 bananes mûres

jus d'un demi-citron

1 cuil. à café d'extrait
de vanille

475 ml de crème fraîche
épaisse, fouettée

75 g de chocolat noir, râpé

pâte

85 g de beurre, fondu, un
peu plus pour graisser

150 g de petits beurres,
émiettés

25 g d'amandes, mondées,
grillées et hachées

25 g de noisettes, grillées
et hachées

méthode

1 Dans une casserole, mettre les boîtes de lait concentré, couvrir d'eau et porter à ébullition. Réduire le feu et laisser mijoter 2 heures en ajoutant de l'eau au fur et à mesure de sorte que les boîtes restent immergées. Retirer de l'eau chaude et laisser refroidir.

2 Mélanger le beurre, les biscuits, les noisettes et les amandes hachées, et presser sur les parois d'un moule à tarte de 23 cm de diamètre. Cuire au four préchauffé 10 à 12 minutes à 180 °C (th. 6), sortir du four et laisser refroidir.

3 Peler les bananes, couper en rondelles et mettre dans une jatte. Arroser de jus de citron, ajouter l'extrait de vanille et bien mélanger. Répartir le tout sur le fond de tarte et couvrir avec le contenu des boîtes de lait concentré.

4 Parsemer de 50 g de chocolat, garnir d'une couche de crème fouettée et parsemer du chocolat restant. Servir à température ambiante.

tarte aux noix de pécan

ingrédients

POUR 8 PERSONNES

pâte

250 g de farine

1 pincée de sel

115 g de beurre, coupé
en dés

1 cuil. à soupe de saindoux,
coupé en petits morceaux

55 g de sucre brun

6 cuil. à soupe de lait froid

garniture

3 œufs

250 g de sucre roux

1 cuil. à café d'extrait
de vanille

1 pincée de sel

85 g de beurre, fondu

3 cuil. à soupe de sirop
de maïs

3 cuil. à soupe de mélasse

350 g de noix de pécan,
hachées

cerneaux de noix de pécan,
pour décorer

crème fouettée
ou crème glacée à la vanille,
en accompagnement

méthode

1 Pour la pâte, tamiser la farine et le sel dans
une jatte, incorporer le beurre et le saindoux
avec les doigts de façon à obtenir une
consistance de chapelure et ajouter le sucre
et le lait. Pétrir jusqu'à obtention d'une pâte,
envelopper de film alimentaire et mettre au
réfrigérateur 30 minutes.

2 Abaisser la pâte pour foncer un moule à
tarte de 23 à 25 cm de diamètre. Chemiser
de papier sulfurisé, garnir de haricots secs
et cuire au four préchauffé 20 minutes
à 200 °C (th. 6-7). Retirer le papier sulfurisé
et les haricots, réduire la température du four
à 180 °C (th. 6) et préchauffer une plaque.

3 Pour la garniture, battre les œufs dans
une jatte, incorporer le sucre roux, l'extrait
de vanille et le sel, le beurre, le sirop
de maïs, la mélasse et les noix de pécan
hachées. Répartir dans le fond de tarte
et garnir de cerneaux de noix de pécan.

4 Disposer sur la plaque préchauffée et cuire
35 à 40 minutes, jusqu'à ce que la garniture
ait pris. Servir chaud ou à température
ambiante, accompagné de crème fouettée
ou de crème glacée à la vanille.

tarte du Mississippi

ingrédients

POUR 8 PERSONNES

pâte

250 g de farine, un peu plus
pour saupoudrer

2 cuil. à soupe de cacao
en poudre

140 g de beurre

2 cuil. à soupe de sucre
en poudre

1 à 2 cuil. à soupe d'eau
froide

garniture

175 g de beurre

250 g de sucre roux

4 œufs, légèrement battus

4 cuil. à soupe de cacao
en poudre

150 g de chocolat noir

300 ml de crème fraîche
liquide

1 cuil. à café d'extrait
de chocolat

425 ml de crème fraîche
épaisse fouettée
et copeaux de chocolat,
en garniture

méthode

1 Pour la pâte, tamiser la farine et le cacao dans une jatte, incorporer le beurre avec les doigts de façon à obtenir une consistance de chapelure et ajouter le sucre et assez d'eau pour obtenir une pâte souple. Envelopper de film alimentaire et mettre au réfrigérateur 15 minutes.

2 Sur un plan fariné, abaisser la pâte et foncer un moule à tarte de 23 cm de diamètre à fond amovible. Chemiser de papier sulfurisé, garnir de haricots secs et cuire à blanc au four préchauffé 15 minutes à 190 °C (th. 6-7). Sortir du four, retirer le papier sulfurisé et les haricots, et cuire encore 10 minutes.

3 Pour la garniture, battre le beurre en crème avec le sucre et incorporer progressivement les œufs et le cacao. Faire fondre le chocolat noir, incorporer à la préparation précédente et ajouter le crème fraîche liquide et l'extrait de chocolat.

4 Réduire la température du four à 160 °C (th. 5-6). Répartir la garniture dans le fond de tarte et cuire 45 minutes, jusqu'à ce que la garniture ait légèrement pris. Laisser refroidir complètement et transférer dans un plat de service.

5 Couvrir de crème fouettée et de copeaux de chocolat, et réserver au réfrigérateur jusqu'au moment de servir.

tarte au chocolat croquante

ingrédients

POUR 8 PERSONNES

base croquante

225 g de noix du Brésil

4 cuil. à soupe de sucre
cristallisé

4 cuil. à café de beurre fondu

garniture

225 ml de lait

2 cuil. à café de gélatine
en poudre

115 g de sucre en poudre

2 œufs, blancs et jaunes
séparés

225 g de chocolat noir,
concassé

1 cuil. à café d'extrait
de vanille

150 ml de crème fraîche
épaisse

2 cuil. à soupe de noix
du Brésil concassées,
en garniture

méthode

1 Pour la base, mixer les noix du Brésil dans un robot de cuisine, ajouter le sucre et le beurre fondu et mixer de nouveau brièvement. Presser le mélange dans le fond d'un moule de 23 cm de diamètre et cuire au four préchauffé 8 à 10 minutes à 200 °C (th. 6-7), jusqu'à ce que la base soit légèrement dorée. Laisser refroidir.

2 Dans une jatte, verser le lait, saupoudrer de gélatine et laisser prendre 2 minutes. Placer la jatte sur une casserole d'eau frémissante, ajouter la moitié du sucre, les jaunes d'œufs et le chocolat, et chauffer 4 à 5 minutes à feu doux sans cesser de remuer, jusqu'à ce que la gélatine soit dissoute et que le chocolat ait fondu. Retirer du feu, battre jusqu'à ce que le mélange soit homogène et incorporer l'extrait de vanille. Couvrir de film alimentaire et mettre au réfrigérateur 45 minutes à 1 heure.

3 Fouetter la crème fraîche et incorporer à la préparation en réservant 3 cuillerées à soupe pour la garniture. Monter les blancs d'œufs en neige souple, puis monter en neige ferme en incorporant progressivement le sucre restant. Ajouter délicatement à la préparation, répartir le tout dans le fond de tarte et mettre au réfrigérateur 3 heures. Garnir de la crème fouettée réservée, parsemer de noix du Brésil concassées et servir.

tarte à la crème

ingrédients

POUR 8 PERSONNES

pâte

200 g de farine

2 cuil. à soupe de sucre
en poudre

115 g de beurre, coupé
en dés

1 cuil. à soupe d'eau

garniture

3 œufs

85 g de sucre en poudre

150 ml de crème fraîche
liquide

150 ml de lait

noix muscade fraîchement
râpé

crème fouettée,
en accompagnement
(facultatif)

méthode

1 Pour la pâte, mettre la farine et le sucre
dans une jatte, incorporer le beurre avec les
doigts jusqu'à obtention d'une consistance
de chapelure et ajouter l'eau. Mélanger de
façon à obtenir une pâte souple, envelopper
de film alimentaire et mettre au réfrigérateur
30 minutes. Abaisser pour foncer un moule
à tarte de 24 cm de diamètre à fond amovible.

2 Piquer le fond de tarte à l'aide d'une fourchette
et mettre au réfrigérateur encore 30 minutes.

3 Couvrir le fond de tarte de papier sulfurisé,
garnir de haricots secs et cuire au four préchauffé
15 minutes à 190 °C (th. 6-7). Retirer le papier
et les haricots, et cuire encore 15 minutes.

4 Pour la garniture, battre les œufs avec le
sucre, la crème fraîche, le lait et la noix
muscade et verser dans le fond de tarte.

5 Cuire la tarte au four encore 25 à 30 minutes,
jusqu'à ce que la garniture ait pris. Servir
éventuellement accompagné de crème fouettée.

tourte aux fruits des bois

ingrédients

POUR 4 PERSONNES

garniture

225 g de myrtilles

225 g de framboises

225 g de mûres

100 g de sucre en poudre

pâte

225 g de farine, un peu plus
    pour saupoudrer

25 g de poudre de noisette

100 g de beurre, coupé
    en dés, un peu plus
    pour graisser

zeste finement râpé
    d'un citron

1 jaune d'œuf, battu

4 cuil. à soupe de lait

2 cuil. à soupe de sucre
    glace, pour saupoudrer

crème fouettée, en garniture

méthode

1 Dans une casserole, mettre 3 cuillerées à soupe de sucre et les fruits, cuire 5 minutes à feu doux sans cesser de remuer et retirer du feu.

2 Dans une jatte, tamiser la farine, ajouter la poudre de noisette et incorporer le beurre avec les doigts jusqu'à obtention d'une consistance de chapelure. Ajouter le sucre restant, le zeste de citron, le jaune d'œuf et 3 cuillerées à soupe de lait, et mélanger. Pétrir brièvement sur un plan fariné, envelopper de film alimentaire et mettre au réfrigérateur 30 minutes.

3 Beurrer un moule de 20 cm de diamètre. Abaisser les deux tiers de la pâte de sorte qu'elle ait 5 mm d'épaisseur, foncer le moule et répartir les fruits dans le fond de tarte. Humecter les bords de la pâte, abaisser la pâte restante et couvrir le tout. Égaliser les bords, froncer avec les doigts et percer 2 petits trous au centre de la tourte. Façonner 2 feuilles dans les chutes, décorer la tourte et dorer la surface de la tourte avec le lait restant. Cuire au four préchauffé 40 minutes à 190 °C (th. 6-7).

4 Sortir du four, saupoudrer de sucre glace et servir accompagné de crème fouettée.

tourte aux pommes à l'ancienne

ingrédients

POUR 6 PERSONNES

pâte

350 g de farine

1 pincée de sel

85 g de beurre
   ou de margarine,
   coupé en dés

85 g de saindoux, coupé
   en dés

6 cuil. à soupe d'eau froide

œuf battu ou lait, pour dorer

garniture

750 g à 1 kg de pommes,
   pelées, évidées et coupées
   en lamelles

115 g de sucre en poudre,
   un peu plus pour
   saupoudrer

$1/2$ à 1 cuil. à café de cannelle
   en poudre

1 à 2 cuil. à soupe d'eau
   (facultatif)

crème fouettée, en garniture

méthode

1 Pour la pâte, tamiser la farine et le sel dans une jatte, ajouter le beurre et le saindoux avec les doigts jusqu'à obtention d'une consistance de chapelure et ajouter l'eau. Compacter en boule, envelopper de film alimentaire et mettre au réfrigérateur 30 minutes.

2 Abaisser deux tiers de la pâte pour foncer un moule de 23 cm de diamètre.

3 Mélanger les pommes, le sucre et la cannelle, et répartir dans le fond de tarte. La garniture peut dépasser du niveau du moule. Ajouter de l'eau si les pommes ne sont pas assez juteuses.

4 Abaisser la pâte restante, humecter les bords de la pâte et fermer la tourte en pressant bien les bords. Égaliser les bords.

5 Découper des formes décoratives dans les chutes, humecter et décorer la tourte. Dorer à l'œuf battu ou au lait, percer 1 ou 2 petits trous au centre de la tourte et mettre sur une plaque.

6 Cuire au four préchauffé 20 minutes à 220 °C (th. 7-8), réduire la température à 180 °C (th. 6) et cuire encore 30 minutes, jusqu'à ce que la pâte soit dorée. Servir chaud ou froid, saupoudré de sucre et garni de crème fouettée.

tourte aux pommes et aux fruits secs

ingrédients

POUR 4 PERSONNES

pâte

280 g de farine, un peu plus
    pour saupoudrer

1 pincée de sel

55 g de sucre en poudre

250 g de beurre, coupé en dés

1 œuf

1 jaune d'œuf

1 cuil. à soupe d'eau

garniture

3 cuil. à soupe de confiture
    de prunes

55 g de noix grillées,
    concassées

950 g de pommes

1 cuil. à soupe de jus de citron

1 cuil. à café de poivre
    de la Jamaïque

55 g de raisins secs

50 g de raisins, coupés
    en deux et épépinés

75 g de sucre en poudre roux

sucre glace, pour saupoudrer

crème anglaise,
    en accompagnement

méthode

1 Pour la pâte, tamiser la farine et le sel dans une jatte, creuser un puits au centre et ajouter le sucre, le beurre, l'œuf, le jaune d'œuf et l'eau. Mélanger jusqu'à obtention d'une pâte souple en ajoutant un peu d'eau si nécessaire. Envelopper de film alimentaire et mettre au réfrigérateur 1 heure.

2 Sur un plan fariné, abaisser trois quarts de la pâte pour foncer un moule à tarte de 25 cm de diamètre et égaliser les bords. Abaisser la pâte restante et couper de longues lanières de 1 cm de large.

3 Pour la garniture, étaler la confiture sur le fond de tarte et parsemer de noix. Peler les pommes, évider et couper en lamelles. Mettre dans une jatte, ajouter le jus de citron, le poivre de la Jamaïque, les raisins secs, les raisins et le sucre roux, et mélanger délicatement. Répartir dans le fond de tarte.

4 Répartir les rubans de pâte sur la garniture en treillage, humecter les bords et presser l'extrémité des rubans de pâte sur les bords. Cuire au four préchauffé 50 minutes à 200 °C (th. 6-7), jusqu'à ce que la tourte soit dorée. Saupoudrer de sucre glace et servir immédiatement, accompagné de crème anglaise.

tourte aux poires

ingrédients

POUR 6 PERSONNES

pâte

280 g de farine

1 pincée de sel

125 g de sucre en poudre

115 g de beurre, coupé
   en dés

1 œuf

1 jaune d'œuf

quelques gouttes d'extrait
   de vanille

2 à 3 cuil. à café d'eau

garniture

4 cuil. à soupe de confiture
   d'abricots

55 g de biscuits amaretti,
   émiettés

850 g à 1 kg de poires, pelées
   et évidées

1 cuil. à café de cannelle
   en poudre

85 g de raisins secs

85 g de sucre en poudre roux

sucre glace tamisé,
   en garniture

méthode

1 Pour la pâte, tamiser la farine et le sel sur un plan de travail, creuser un puits au centre et ajouter le sucre, le beurre, l'œuf, le jaune d'œuf, l'extrait de vanille et une grande partie de l'eau. Mélanger progressivement avec les doigts jusqu'à obtention d'une pâte souple en ajoutant l'eau restante si nécessaire. Envelopper de film alimentaire et mettre au réfrigérateur 1 heure.

2 Abaisser trois quarts de la pâte pour foncer un moule de 25 cm de diamètre. Pour la garniture, étaler la confiture sur le fond de tarte et parsemer de miettes de biscuits.

3 Couper les poires en très fines lamelles, répartir sur le fond de tarte et saupoudrer de cannelle. Parsemer de raisins secs et saupoudrer de sucre.

4 Abaisser un tiers de la pâte restante en fin boudin et fixer sur les bords du fond de tarte. Abaisser la pâte restante en fins boudins et répartir sur le fond de tarte en treillage et fixer aux bords de la pâte.

5 Cuire au four préchauffé 50 minutes à 200 °C (th. 6-7), jusqu'à ce que la tourte soit dorée et bien cuite. Laisser tiédir et servir tiède ou froid, saupoudré de sucre glace.

tarte au citron meringuée

ingrédients

POUR 4 PERSONNES

pâte

185 g de farine, un peu plus
    pour saupoudrer

85 g de beurre, coupé en dés,
    un peu plus pour graisser

55 g de sucre glace, tamisé

zeste finement râpé
    d'un demi-citron

1/2 jaune d'œuf, battu

1 1/2 cuil. à soupe de lait

garniture

3 cuil. à soupe de maïzena

300 ml d'eau

jus et zeste râpé de 2 citrons

185 g de sucre en poudre

2 œufs, blancs et jaunes
    séparés

méthode

1 Pour la pâte, tamiser la farine dans une jatte, incorporer le beurre avec les doigts jusqu'à obtention d'une consistance de chapelure et ajouter les ingrédients restants. Pétrir légèrement sur un plan fariné et mettre au réfrigérateur 30 minutes.

2 Beurrer un moule de 20 cm de diamètre. Abaisser la pâte de sorte qu'elle ait 5 mm d'épaisseur, foncer le moule et piquer à l'aide d'une fourchette. Couvrir de papier sulfurisé, garnir de haricots secs et cuire au four préchauffé 15 minutes à 180 °C (th. 6). Retirer le papier et les haricots, et réduire la température du four à 150 °C (th. 5).

3 Pour la garniture, délayer la maïzena dans un peu d'eau. Verser l'eau restante dans une casserole, ajouter le jus de citron, le zeste de citron et la pâte de maïzena, et porter à ébullition sans cesser de remuer. Cuire 2 minutes, laisser tiédir et incorporer 5 cuillerées à soupe de sucre et les jaunes d'œufs. Répartir le tout dans le fond de tarte.

4 Dans une jatte, monter les blancs d'œufs en neige ferme, incorporer le sucre restant et répartir sur la tarte. Cuire encore 40 minutes au four, sortir du four et servir tiède.

tartelettes légères aux fruits

ingrédients

POUR 4 PERSONNES

1 pomme, pelée

1 poire, pelée

2 cuil. à soupe de jus
de citron

4 cuil. à soupe de beurre
fondu, un peu plus
pour graisser

4 feuilles de pâte filo

2 cuil. à soupe de confiture
d'abricots

1 cuil. à soupe de jus
d'orange

1 cuil. à soupe de pistaches
finement hachées

2 cuil. à café de sucre glace,
pour saupoudrer

crème anglaise, en garniture

méthode

1 Évider la pomme et la poire, couper en lamelles et enduire de jus de citron de façon à éviter le noircissement. Faire fondre le beurre à feu doux dans une casserole.

2 Couper chaque feuille de pâte filo en quatre et couvrir d'un torchon humide. Beurrer un moule à muffins à 4 alvéoles de 10 cm de diamètre.

3 Beurrer 4 morceaux de pâte filo, presser les 4 morceaux dans le fond de chaque alvéole et répéter l'opération avec les morceaux de pâte filo restants.

4 Répartir les lamelles de pomme et de poire dans chaque alvéole et froisser les bords de la pâte.

5 Délayer la confiture dans le jus d'orange et enduire la garniture. Cuire au four préchauffé 12 à 15 minutes à 200 °C (th. 6-7). Parsemer de pistaches, saupoudrer de sucre glace et servir chaud directement à la sortie du four, accompagné de crème anglaise.

tartelettes aux noix de pécan

ingrédients

POUR 12 PERSONNES

pâte

150 g de farine, un peu plus
pour saupoudrer

85 g de beurre, coupé en dés

55 g de sucre en poudre roux

2 jaunes d'œufs

garniture

2 cuil. à soupe de mélasse

150 ml de crème fraîche
épaisse

115 g de sucre en poudre
blond

1 pincée de crème de tartre

6 cuil. à soupe d'eau

185 g de noix de pécan,
concassées

12 cerneaux de noix
de pécan, pour décorer

méthode

1 Pour la pâte, tamiser la farine dans une jatte
et incorporer le beurre avec les doigts jusqu'à
obtention d'une consistance de chapelure.
Ajouter le sucre et les jaunes d'œufs, et mélanger
de façon à obtenir une pâte souple. Envelopper
de film alimentaire et mettre au réfrigérateur
30 minutes.

2 Sur un plan fariné, abaisser la pâte, couper
12 ronds et foncer des moules à tartelettes.
Piquer les fonds de tartelettes à l'aide d'une
fourchette, couvrir de papier sulfurisé et garnir
de haricots secs. Cuire au four préchauffé 10 à
15 minutes à 200 °C (th. 6-7), jusqu'à ce que
la pâte soit légèrement dorée. Retirer le papier
et les haricots, et cuire au four encore 2 à
3 minutes. Laisser tiédir sur une grille.

3 Mélanger la moitié de la mélasse et de la crème
fraîche. Dans une casserole, mettre le sucre,
la crème de tartre et l'eau, chauffer à feu doux
jusqu'à ce que le sucre soit dissous et porter
à ébullition de façon à obtenir un caramel.
Retirer du feu et ajouter le mélange précédent.

4 Remettre la casserole sur le feu et cuire jusqu'à
ce qu'une petite portion de caramel plongée
dans de l'eau froide forme une bille souple.
Ajouter la crème fraîche restante et laisser
refroidir. Enduire les bords de la pâte avec
la mélasse restante. Mettre les noix de pécan
hachées dans les fonds de tartelettes, ajouter
le caramel et garnir de cerneaux. Laisser tiédir.

tarte aux figues et à la ricotta

ingrédients

POUR 6 PERSONNES

pâte

150 g de farine, un peu plus
    pour saupoudrer

1 pincée de sel

75 g de beurre froid, coupé
    en dés

25 g de poudre d'amande

eau froide

garniture

6 figues

100 g de sucre en poudre

600 ml d'eau

4 jaunes d'œufs

$1/2$ cuil. à café d'extrait
    de vanille

500 g de ricotta,
    bien égouttée

2 cuil. à soupe de miel,
    plus 1 cuil. à café
    pour arroser

méthode

1 Graisser un moule à tarte de 22 cm à fond amovible. Dans un robot de cuisine, tamiser la farine et le sel, ajouter le beurre et mixer jusqu'à obtention d'une consistance de chapelure. Transférer dans une jatte, ajouter la poudre d'amande et assez d'eau pour lier la pâte. Sur un plan fariné, abaisser la pâte en un rond de 30 cm de diamètre, foncer le moule et égaliser les bords. Couvrir de papier sulfurisé, garnir de haricots secs et mettre au réfrigérateur 30 minutes.

2 Cuire le fond de tarte au four préchauffé 15 minutes à 190 °C (th. 6-7), retirer le papier et les haricots, et cuire encore 5 minutes.

3 Dans une casserole, mettre les figues, la moitié du sucre et l'eau, porter à ébullition et pocher 10 minutes à feu doux. Égoutter et laisser refroidir. Incorporer les jaunes d'œufs et l'extrait de vanille à la ricotta, ajouter le sucre restant et le miel, et bien mélanger. Répartir le mélange obtenu dans le fond de tarte, cuire 30 minutes et sortir du four. Couper les figues en deux dans la longueur, répartir sur la tarte, côté coupé vers le haut, et arroser de miel. Servir immédiatement.

tarte au citron et au miel

ingrédients

POUR 8 À 12 PERSONNES

pâte

225 g de farine, un peu plus
    pour saupoudrer

1 pincée de sel

1½ cuil. à café de sucre
    en poudre

150 g de beurre

3 à 4 cuil. à soupe d'eau
    froide

garniture

375 g de fromage à la crème
    ou de ricotta

6 cuil. à soupe de miel

3 œufs, battus

½ cuil. à café de cannelle

zeste râpé et jus d'un citron

rondelles de citron,
    pour décorer

méthode

1 Pour la pâte, mettre la farine, le sel, le sucre et le beurre dans un robot de cuisine, mixer par intermittence de façon à obtenir une consistance de chapelure. Ajouter l'eau et mixer jusqu'à obtention d'une pâte souple. À défaut de robot de cuisine, préparer la pâte en mélangeant avec les mains. Envelopper de film alimentaire et mettre au réfrigérateur 30 minutes.

2 Pour la garniture, incorporer le miel au fromage à la crème et battre le mélange obtenu. Ajouter les œufs, la cannelle, le zeste et le jus de citron, et bien mélanger le tout.

3 Sur un plan fariné, abaisser la pâte pour foncer un moule à tarte de 22 cm de diamètre. Mettre le moule sur une plaque, couvrir de papier sulfurisé et garnir de haricots secs. Cuire au four préchauffé 15 minutes à 200 °C (th. 6-7). Retirer le papier et les haricots, et cuire encore 5 minutes, jusqu'à ce que le fond de tarte soit ferme mais pas doré.

4 Réduire la température du four à 180 °C (th. 6). Garnir le fond de tarte du mélange à base de fromage à la crème et cuire au four 30 minutes, jusqu'à ce que la garniture ait pris. Décorer avec des rondelles de citron et servir froid.

tartelettes à la crème brûlée

ingrédients

POUR 6 PERSONNES

pâte

150 g de farine, un peu plus
pour saupoudrer

1 à 2 cuil. à soupe de sucre
en poudre

125 g de beurre, coupé
en dés

1 cuil. à soupe d'eau

garniture

4 jaunes d'œufs

50 g de sucre en poudre

400 ml de crème fraîche
épaisse

1 cuil. à café d'extrait
de vanille

sucre roux non raffiné,
pour saupoudrer

méthode

1 Pour la pâte, mettre la farine et le sucre dans une jatte, incorporer le beurre avec les doigts jusqu'à obtention d'une consistance de chapelure et ajouter l'eau. Compacter en boule, envelopper de film alimentaire et mettre au réfrigérateur 30 minutes. Diviser la pâte en six et abaisser chaque morceau pour foncer des moules à tartelettes de 10 cm de diamètre. Piquer et mettre au réfrigérateur 20 minutes.

2 Chemiser les fonds de tartelettes de papier d'aluminium, garnir de haricots secs et cuire au four préchauffé 15 minutes à 190 °C (th. 6-7). Retirer le papier et les haricots, et cuire encore 10 minutes, jusqu'à ce que les fonds de tartelettes soient croustillants. Laisser refroidir.

3 Pour la garniture, mettre les jaunes d'œufs et le sucre dans une jatte et battre jusqu'à ce que le mélange blanchisse. Porter la crème fraîche au point d'ébullition avec l'extrait de vanille, verser dans la jatte sans cesser de battre et transférer le tout dans une casserole. Porter au point d'ébullition sans cesser de battre de sorte que la préparation épaississe. Veiller à ne pas laisser bouillir. Laisser tiédir, répartir dans les fonds de tartelettes et laisser refroidir. Mettre au réfrigérateur une nuit.

4 Préchauffer le gril. Saupoudrer les tartelettes de sucre roux et passer quelques minutes au gril jusqu'à obtention d'un caramel. Laisser tiédir et mettre 2 heures au réfrigérateur.

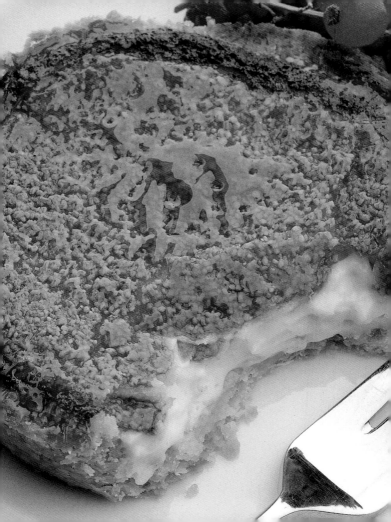

mini-tartelettes aux fruits des bois

ingrédients

POUR 12 TARTELETTES
pâte

200 g de farine, un peu plus
    pour saupoudrer
85 g de sucre glace
55 g de poudre d'amande
115 g de beurre
1 jaune d'œuf
1 cuil. à soupe de lait

garniture

225 g de fromage à la crème
sucre glace, selon son goût,
    un peu plus pour
    saupoudrer
350 g de fruits des bois,
    myrtilles, groseilles,
    framboises et fraises,
    par exemple

méthode

1 Pour la pâte, tamiser la farine et le sucre glace dans une jatte, ajouter la poudre d'amande et incorporer le beurre avec les doigts de façon à obtenir une consistance de chapelure. Ajouter le jaune d'œuf et le lait, compacter en boule et envelopper de film alimentaire. Mettre au réfrigérateur 30 minutes.

2 Abaisser la pâte sur un plan fariné, découper 12 ronds et foncer des moules à mini-tartelettes profonds ou à mini-brioches. Piquer les fonds de tartelettes et chemiser de papier d'aluminium. Cuire au four préchauffé 10 à 15 minutes à 200 °C (th. 6-7), retirer le papier d'aluminium et cuire encore 2 à 3 minutes. Laisser refroidir sur une grille.

3 Pour la farce, mettre le fromage à la crème et du sucre glace dans une jatte, bien mélanger et garnir chaque fond de tartelette. Répartir les fruits frais, saupoudrer de sucre glace et servir.

desserts
aux fruits

Dans de nombreuses cultures, le dessert consiste ni plus ni moins en une sélection de fruits frais de saison. Cela se comprend aisément car consommer les fruits au naturel permet de bénéficier de toutes les vitamines qu'ils contiennent. Il existe toutefois d'innombrables façons d'agrémenter les fruits pour leur conférer ce petit quelque chose en plus qui en fera une expérience gustative inoubliable !

Pour aller au plus simple et proposer malgré tout un dessert original, sélectionnez quelques fruits frais de saison et servez-les avec une fondue au chocolat – l'alliance du chocolat chaud et fondant à la fraîcheur des fruits est absolument divine ! Si vous consentez à passer un peu plus de temps aux fourneaux, vous pouvez faire pocher les fruits ou les cuire au four. Essayez les abricots au vin rouge épicé – le jus de cuisson à base de vin est réduit en sauce épaisse que l'on verse sur les fruits. Si vous êtes amateur de figues fraîches, préparez des figues grillées au sabayon, que vous pourrez éventuellement parsemer de romarin frais grillé.

Les fruits exotiques sont toujours appréciés. Servez vos préférés dans des crêpes au chocolat ou faites-les cuire dans des papillotes. Les enfants adoreront les beignets de banane, enrobés d'une irrésistible sauce au caramel.

figues grillées au sabayon

ingrédients

POUR 4 PERSONNES

8 figues fraîches, coupées
en deux

4 cuil. à soupe de miel

2 brins de romarin frais,
feuilles retirées
et finement hachées
(facultatif)

3 œufs

méthode

1 Répartir les figues dans un plat allant au four, côté coupé vers le bas, enduire de la moitié du miel et parsemer éventuellement de romarin.

2 Passer au gril préchauffé 5 à 6 minutes, jusqu'à ce que les figues commencent à caraméliser.

3 Pour le sabayon, mettre les œufs et le miel restant dans une jatte résistant à la chaleur, disposer sur une casserole d'eau frémissante et fouetter 10 minutes à l'aide d'un batteur électrique, jusqu'à ce que le mélange blanchisse.

4 Répartir les figues sur des assiettes, garnir de sabayon et servir immédiatement.

bananes grillées

ingrédients

POUR 4 PERSONNES

55 g de crème de coco
    en bloc, râpée

150 ml de crème fraîche
    épaisse

4 bananes

jus et zeste d'un citron

1 cuil. à soupe d'huile
    d'arachide

50 g de noix de coco
    déshydratée

méthode

1 Dans une casserole, mettre la crème de coco et la crème fraîche, et chauffer à feu doux jusqu'à ce que la crème de coco soit dissoute. Retirer du feu, laisser reposer 10 minutes et battre jusqu'à obtention d'une consistance épaisse.

2 Peler les bananes et ajouter le jus et le zeste de citron. Huiler une poêle à fond rainuré, ajouter les bananes et cuire 2 à 3 minutes en retournant une fois, jusqu'à ce qu'elles soient tendres et dorées.

3 Mettre la noix de coco déshydratée sur une feuille de papier d'aluminium et passer au gril préchauffé jusqu'à ce qu'elle soit dorée. Servir les bananes accompagnées de crème à la noix de coco et parsemées de noix de coco grillée.

beignets de banane au caramel

ingrédients

POUR 4 PERSONNES

70 g de farine levante

1 œuf, battu

5 cuil. à soupe d'eau glacée

4 grosses bananes bien
    mûres

3 cuil. à soupe de jus
    de citron

2 cuil. à soupe de farine
    de riz

huile, pour la friture

caramel

115 g de sucre en poudre

4 cuil. à soupe d'eau glacée

2 cuil. à soupe de graines
    de sésame

méthode

1 Dans une jatte, tamiser la farine, creuser un puits au centre et ajouter l'œuf et l'eau glacée dans le puits. Battre du centre vers l'extérieur jusqu'à obtention d'une pâte homogène.

2 Peler les bananes, couper en tronçons de 5 cm et façonner délicatement chaque tronçon en boule avec les mains. Enduire de jus de citron de façon à éviter le noircissement et passer dans la farine de riz. Dans une casserole, verser 6 cm d'huile et chauffer à 190 °C. Enrober les boules de bananes de pâte, plonger dans l'huile et faire frire 2 minutes, jusqu'à ce qu'elles soient dorées. Égoutter sur du papier absorbant.

3 Pour le caramel, mettre le sucre dans une casserole, ajouter 4 cuillerées à soupe d'eau glacée et chauffer à feu doux sans cesser de remuer jusqu'à ce que le sucre soit dissous. Laisser mijoter 5 minutes, retirer du feu et incorporer les graines de sésame. Enrober les beignets de banane de caramel et plonger immédiatement dans un bol d'eau glacée de sorte que le caramel prenne. Égoutter, transférer sur des assiettes à dessert et servir chaud.

crêpes aux bananes

ingrédients

POUR 4 PERSONNES

225 g de farine

2 cuil. à soupe de sucre roux

2 œufs

450 ml de lait

zeste râpé et jus d'un citron

55 g de beurre

3 bananes

4 cuil. à soupe de mélasse
(raffinée)

méthode

1 Mélanger la farine et le sucre, incorporer les œufs et la moitié du lait, et battre jusqu'à obtention d'une pâte homogène. Incorporer progressivement le lait restant sans cesser de remuer jusqu'à obtention d'une consistance fluide. Incorporer le zeste de citron.

2 Dans une poêle de 20 cm de diamètre beurrée, verser un quart de la pâte et incliner la poêle de sorte que la pâte se répartisse bien sur le fond. Cuire 1 à 2 minutes, retourner la crêpe et cuire l'autre côté. Faire glisser sur une assiette, réserver au chaud et répéter l'opération de façon à obtenir 4 crêpes au total.

3 Couper les bananes en rondelles, enrober de jus de citron et arroser de mélasse. Plier chaque crêpe en quatre, garnir le centre de bananes et servir chaud.

figues au miel cuites au four

ingrédients

POUR 4 PERSONNES

150 ml de jus d'orange

6 cuil. à soupe de miel

12 figues sèches
non prétrempées

40 g de pistaches,
concassées

25 g d'abricots secs non
prétrempés, très finement
hachés

1 cuil. à café de graines
de sésame

yaourt à la grecque,
en garniture

méthode

1 Dans une casserole, mettre le jus d'orange et 5 cuillerées à soupe de miel, et chauffer à feu doux jusqu'à ce que le miel soit dissous. Ajouter les figues et laisser mijoter 10 minutes, jusqu'à ce qu'elles soient tendres. Retirer du feu et laisser refroidir dans le liquide.

2 Pour la garniture, mettre les pistaches, les abricots, les graines de sésame et le miel restant dans une jatte, et bien mélanger.

3 À l'aide d'une écumoire, retirer les figues de la casserole. Fendre chaque figue à la base de la tige, aplatir légèrement avec les doigts et farcir de 1 cuillerée à café de garniture. Mettre dans un plat allant au four et arroser du liquide resté dans la casserole.

4 Cuire au four préchauffé 10 minutes à 170 °C (th. 5-6), jusqu'à ce qu'elles soient bien chaudes. Servir chaud ou froid, accompagné de yaourt à la grecque.

tarte aux prunes
et aux amandes

ingrédients

POUR 8 PERSONNES

beurre, pour graisser

farine, pour saupoudrer

400 g de pâte brisée

garniture

1 œuf

1 jaune d'œuf

140 g de sucre en poudre
blond

55 g de beurre, fondu

100 g de poudre d'amande

1 cuil. à soupe de cognac

900 g de prunes, coupées
en deux et dénoyautées

crème fouettée,
en accompagnement
(facultatif)

méthode

1 Abaisser la pâte sur un plan fariné pour foncer un moule à tarte de 23 cm de diamètre beurré, couvrir de papier sulfurisé et garnir de haricots secs. Cuire au four préchauffé 15 minutes à 200 °C (th. 6-7). Retirer le papier et les haricots, et cuire encore 5 minutes. Mettre une plaque dans le four.

2 Pour la garniture, mettre l'œuf, le jaune d'œuf, 100 g de sucre, le beurre fondu, la poudre d'amande et le cognac dans une jatte, mélanger jusqu'à obtention d'une pâte et répartir dans le fond de tarte.

3 Répartir les demi-prunes sur la garniture, côté coupé vers le haut. Saupoudrer du sucre restant, mettre le moule sur la plaque et cuire 35 à 40 minutes, jusqu'à ce que la garniture ait pris et soit dorée. Servir chaud, accompagné de crème fouettée.

tarte Bakewell

ingrédients

POUR 4 PERSONNES

pâte

150 g de farine, un peu plus
    pour saupoudrer

50 g de beurre, coupé en dés,
    un peu plus pour graisser

25 g de sucre glace, tamisé

zeste finement râpé
    d'un demi-citron

1/2 jaune d'œuf, battu

1 1/2 cuil. à soupe de lait

4 cuil. à soupe de confiture
    de fraises

garniture

100 g de beurre

100 g de sucre en poudre
    roux

2 œufs, battus

1 cuil. à café d'extrait
    d'amande

115 g de farine de riz

3 cuil. à soupe de poudre
    d'amande

3 cuil. à soupe d'amandes
    effilées, grillées

sucre glace, pour décorer

méthode

1 Pour la pâte, tamiser la farine dans un bol, incorporer le beurre avec les doigts de façon à obtenir une consistance de chapelure et ajouter le sucre glace, le zeste de citron, le jaune d'œuf et le lait. Pétrir brièvement sur un plan fariné, envelopper de film alimentaire et mettre au réfrigérateur 30 minutes.

2 Beurrer un moule de 20 cm de diamètre. Abaisser la pâte de sorte qu'elle ait 5 mm d'épaisseur et foncer le moule. Piquer le fond de tarte à l'aide d'une fourchette et napper de confiture de fraises.

3 Pour la garniture, battre le beurre en crème avec le sucre jusqu'à ce que le mélange blanchisse. Incorporer les œufs un à un, ajouter l'extrait d'amande, la farine de riz et la poudre d'amande, et répartir le tout sur le fond de tarte. Parsemer d'amandes effilées et cuire au four préchauffé 40 minutes à 190 °C (th. 6-7), jusqu'à ce que la garniture soit dorée. Sortir du four, saupoudrer de sucre glace et servir chaud.

tarte aux amandes

ingrédients

POUR 1 TARTE
DE 25 CM DE DIAMÈTRE

pâte à tarte

280 g de farine, un peu plus
pour saupoudrer

150 g de sucre en poudre

1 cuil. à café de zeste
de citron râpé

1 pincée de sel

150 g de beurre, froid et coupé
en dés, un peu plus pour
graisser

1 œuf, légèrement battu

1 cuil. à soupe d'eau froide

garniture

175 g de beurre,
à température ambiante

175 g de sucre en poudre

3 gros œufs

175 g de poudre d'amande

2 cuil. à café de farine

1 cuil. à soupe de zeste
d'orange râpé

$1/2$ cuil. à café d'extrait
d'amande

sucre glace, pour décorer

crème aigre (facultatif),
en accompagnement

méthode

1 Pour la pâte, mettre la farine, le sucre, le zeste de citron et le sel dans une jatte et incorporer le beurre avec les doigts jusqu'à obtention d'une consistance de chapelure. Mélanger l'eau et l'œuf, et incorporer progressivement dans la jatte sans cesser de battre à l'aide d'une fourchette. Compacter en boule, mettre au réfrigérateur et laisser reposer 1 heure.

2 Sur un plan fariné, abaisser la pâte de sorte qu'elle ait 3 mm d'épaisseur, foncer un moule à tarte graissé de 25 cm de diamètre et mettre au réfrigérateur encore 15 minutes. Couvrir de papier d'aluminium, garnir de haricots secs et cuire à blanc au four préchauffé 12 minutes à 220 °C (th. 7-8). Retirer les haricots secs et le papier d'aluminium et cuire encore 4 minutes. Sortir du four et réduire la température à 200 °C (th. 6-7).

3 Pour la garniture, battre le beurre en crème avec le sucre jusqu'à ce que le mélange blanchisse, incorporer les œufs un par un, et ajouter la poudre d'amande, la farine, le zeste d'orange et l'extrait d'amande.

4 Répartir la garniture dans le fond de tarte et cuire au four 30 à 35 minutes, jusqu'à ce que la garniture soit dorée et que la pointe d'un couteau piquée au centre ressorte sans trace de pâte. Démouler sur une grille, laisser refroidir et saupoudrer de sucre glace. Servir éventuellement accompagné de crème aigre.

tarte à la noix de coco

ingrédients

POUR 8 PERSONNES

farine, pour saupoudrer

400 g de pâte brisée

beurre, pour graisser

garniture

2 œufs

zeste râpé et jus de 2 citrons

200 g de sucre en poudre
    blond

375 ml de crème fraîche
    épaisse

250 g de noix de coco
    déshydratée

méthode

1 Abaisser la pâte sur un plan fariné pour foncer un moule de 23 cm, couvrir de papier sulfurisé et garnir de haricots secs. Cuire au four préchauffé 15 minutes à 200 °C (th. 6-7), retirer le papier et les haricots, et cuire encore 5 minutes. Réduire la température du four à 160 °C (th. 5-6) et mettre une plaque dans le four.

2 Pour la garniture, mettre les œufs, le zeste de citron et le sucre dans une jatte, battre 1 minute et incorporer la crème fraîche, le jus de citron et la noix de coco déshydratée.

3 Répartir la garniture sur le fond de tarte, mettre le moule sur la plaque et cuire au four 40 minutes, jusqu'à ce que la garniture soit dorée. Laisser refroidir 1 heure, jusqu'à ce que la garniture ait pris. Servir à température ambiante.

tarte aux citrons caramélisés

ingrédients

POUR 6 PERSONNES

pâte

175 g de farine, un peu plus
    pour saupoudrer

1 pincée de sel

100 g de beurre froid, coupé
    en dés, un peu plus pour
    graisser

25 g de sucre en poudre

1 jaune d'œuf

eau froide

garniture

5 citrons

2 œufs

300 g de sucre en poudre

150 g de poudre d'amande

100 ml de crème fouettée,
    un peu plus pour garnir

100 ml d'eau

méthode

1 Beurrer un moule à tarte à fond amovible de
22 cm de diamètre. Tamiser la farine et le sel
dans un robot de cuisine, ajouter le beurre et
mixer jusqu'à obtention d'une consistance de
chapelure. Transférer dans une jatte et ajouter
le sucre, le jaune d'œuf et de l'eau de façon
à obtenir une pâte homogène. Sur un plan
fariné, abaisser la pâte de sorte qu'elle ait 30 cm
de diamètre, foncer le moule et retirer l'excédent
de pâte. Chemiser de papier sulfurisé, garnir
de haricots secs et mettre au réfrigérateur
30 minutes. Cuire à blanc au four préchauffé
10 minutes à 190 °C (th. 6-7), et retirer les
haricots et le papier sulfurisé. Cuire encore
5 minutes, retirer du four et laisser refroidir.

2 Mélanger le jus et le zeste finement râpé
de 3 des citrons, les œufs, 100 g de sucre, la
poudre d'amande et la crème fouettée, garnir
le fond de tarte et cuire au four préchauffé
25 minutes. Couper les citrons restants en fines
rondelles et retirer les pépins. Mettre le sucre
restant et l'eau dans une casserole, chauffer
jusqu'à ce que le sucre soit dissous et laisser
mijoter 5 minutes. Ajouter les rondelles de
citrons et laisser bouillir 10 minutes.

3 Retirer la tarte du four, disposer les rondelles
de citrons le long de la pâte et napper du sirop
de citron. Servir chaud ou froid, accompagné
de crème fouettée.

tarte tatin aux pêches et au gingembre confit

ingrédients

POUR 6 PERSONNES

250 g de pâte feuilletée,
    abaissée

farine, pour saupoudrer

garniture

6 à 8 pêches juste mûres

100 g de sucre en poudre
    roux

3 cuil. à soupe de beurre

3 morceaux de gingembre
    confit au sirop, hachés

1 cuil. à soupe de sirop
    du gingembre confit

1 œuf, battu

crème fraîche épaisse
    ou crème glacée,
    en accompagnement

méthode

1 Plonger les pêches dans de l'eau bouillante, égoutter et peler. Couper les pêches en deux. Dans une poêle de 25 cm de diamètre pouvant passer au four, mettre le sucre et chauffer sans remuer jusqu'à ce qu'il soit caramélisé. Retirer du feu immédiatement et incorporer 2 cuillerées à soupe de beurre.

2 Répartir les pêches sur le fond de tarte, côté coupé vers le haut, insérer le gingembre confit entre les pêches et parsemer de noix de beurre caramélisé. Arroser de sirop de gingembre.

3 Remettre sur le feu, chauffer à feu doux et couvrir avec la pâte. Enfoncer les bords de la pâte entre les pêches et les parois de la poêle. Dorer à l'œuf battu et cuire au four préchauffé 20 à 25 minutes à 190 °C (th. 6-7), jusqu'à ce que la pâte ait gonflé et soit dorée. Sortir du four, laisser reposer 5 minutes et démouler sur un plat de service. Servir accompagné de crème fraîche ou de crème glacée.

tartelettes aux noix

ingrédients

POUR 4 PERSONNES

40 g de beurre, fondu

8 feuilles de pâte filo
(procéder avec une feuille
à la fois, en réservant
les feuilles restantes sous
un torchon humide)

40 g de cerneaux de noix

150 g de yaourt à la grecque

4 cuil. à soupe de miel

150 ml de crème fraîche
épaisse

2 cuil. à soupe de sucre
en poudre

2 œufs

1 cuil. à café d'extrait
de vanille

sucre glace, pour saupoudrer

yaourt à la grecque,
en garniture

méthode

1 Enduire de beurre fondu 4 moules à tartelettes de 10 cm de diamètre. Couper les feuilles de pâte filo en deux de façon à obtenir 16 carrés.

2 Beurrer un carré de pâte filo, foncer un moule et répéter l'opération avec 3 carrés en les plaçant en biais les uns par rapport aux autres. Procéder de même avec les 3 moules restants et disposer le tout sur une plaque.

3 Pour la garniture, hacher 2 cuillerées à soupe de noix. Dans une jatte, mettre le yaourt, le miel, la crème fraîche, le sucre, les œufs et l'extrait de vanille, battre le tout et incorporer les noix hachées.

4 Répartir la garniture dans les fonds de tartelettes. Concasser grossièrement les noix restantes, parsemer la garniture et cuire au four préchauffé 25 à 30 minutes à 180 °C (th. 6), jusqu'à ce que la garniture soit ferme au toucher.

5 Laisser tiédir les tartelettes, démouler délicatement et saupoudrer de sucre glace. Servir accompagné de yaourt à la grecque.

tarte au chocolat et au fudge

ingrédients

POUR 6 À 8 PERSONNES

farine, pour saupoudrer

250 g de pâte brisée prête
    à l'emploi

sucre glace, pour saupoudrer

garniture

140 g de chocolat noir,
    finement haché

175 g de beurre, coupé
    en dés

250 g de sucre semoule brun

100 g de farine

1/2 cuil. à café d'extrait
    de vanille

6 œufs, battus

150 ml de crème fouettée
    et de cannelle, pour
    décorer

méthode

1 Abaisser la pâte sur un plan fariné et foncer un moule à tarte de 20 cm de diamètre à fond amovible. Piquer à l'aide d'une fourchette, chemiser de papier sulfurisé et garnir de haricots secs. Cuire au four préchauffé 12 à 15 minutes à 200 °C (th. 6-7), jusqu'à ce que la pâte ait pris. Retirer le papier sulfurisé et les haricots et cuire encore 10 minutes, jusqu'à ce que la pâte soit ferme. Sortir du four et laisser refroidir. Réduire la température du four à 180 °C (th. 6).

2 Pour la garniture, mettre le chocolat et le beurre dans une jatte résistant à la chaleur, disposer sur une casserole d'eau frémissante et remuer jusqu'à obtention d'une consistance homogène. Retirer du feu et laisser refroidir. Dans une autre jatte, mettre le sucre, la farine, l'extrait de vanille et les œufs, mélanger le tout et incorporer le chocolat et le beurre fondus.

3 Répartir le tout sur le fond de tarte et cuire au four 50 minutes, jusqu'à ce que la garniture ait pris. Transférer sur une grille et laisser refroidir complètement. Saupoudrer de sucre glace et garnir de crème fouettée et de cannelle.

pêches farcies au four

ingrédients

POUR 4 PERSONNES

4 pêches mûres

4 cuil. à soupe de beurre

2 cuil. à soupe de sucre roux

55 g de biscuits amaretti
ou de macarons

2 cuil. à soupe d'amaretto

125 ml de crème fraîche
liquide,
en accompagnement

méthode

1 Couper les pêches en deux et retirer le noyau. Il est éventuellement possible de les peler en les plongeant préalablement 10 à 15 minutes dans de l'eau bouillante puis dans de l'eau froide. Mettre les pêches dans un plat allant au four graissé, côté coupé vers le haut.

2 Dans une jatte, battre le beurre restant en crème avec le sucre jusqu'à ce que le mélange blanchisse, ajouter les biscuits et farcir les pêches de la préparation obtenue.

3 Cuire au four préchauffé 20 à 25 minutes à 180 °C (th. 6), jusqu'à ce que les pêches soient tendres. Arroser d'amaretto et servir chaud accompagné de crème fraîche.

pêches et leur coulis aux framboises

ingrédients

POUR 4 À 6 PERSONNES

450 g de framboises fraîches

zeste finement râpé
    d'une orange

2 cuil. à soupe de jus
    d'orange

2 cuil. à soupe de Grand
    Marnier, de cointreau
    ou d'une autre liqueur
    à l'orange

2 à 3 cuil. à soupe de sucre
    en poudre

6 pêches fraîches bien mûres

crème glacée à la vanille
    et langues de chat,
    en accompagnement

méthode

1 Mettre les framboises dans un robot de cuisine, réduire en purée et passer au travers d'un tamis non métallique de façon à retirer les pépins. Transférer dans une jatte.

2 Incorporer le zeste d'orange, le jus d'orange et la liqueur, ajouter le sucre et mélanger jusqu'à ce que le sucre soit dissous. Couvrir et réserver au réfrigérateur.

3 Porter une casserole d'eau à ébullition à feu vif, ajouter 1 ou 2 pêches et pocher 10 à 20 secondes. Retirer de la casserole à l'aide d'une écumoire, répéter l'opération avec les pêches restantes et laisser tiédir. Retirer la peau, couper en deux et ôter le noyau.

4 Couper chaque demi-pêche en deux, incorporer au coulis et couvrir. Réserver au réfrigérateur.

5 Déposer de la crème glacée à la vanille dans des coupes à dessert, garnir de pêches au coulis et servir accompagné de langues de chat.

abricots rôtis au miel

ingrédients

POUR 4 PERSONNES

beurre, pour graisser

4 abricots, coupés en deux
et dénoyautés

4 cuil. à soupe d'amandes
effilées

4 cuil. à soupe de miel

1 pincée de noix muscade
ou de gingembre en poudre

crème glacée à la vanille,
en accompagnement
(facultatif)

méthode

1 Beurrer un plat allant au four assez grand pour contenir les moitiés d'abricots en une seule couche.

2 Répartir les abricots dans le plat, côté coupé vers le haut, parsemer d'amandes effilées et arroser de miel. Saupoudrer de noix muscade ou de gingembre.

3 Cuire au four préchauffé 12 à 15 minutes à 200 °C (th. 6-7), jusqu'à ce que les abricots soient tendres et les amandes dorées. Sortir du four et servir immédiatement, garni éventuellement de crème glacée à la vanille.

abricots au vin rouge épicé

ingrédients

POUR 4 À 6 PERSONNES

1/2 cuil. à café de grains
de poivre blanc, concassés

3 clous de girofle

350 ml de vin rouge

200 ml d'eau

200 g de sucre

1 morceau de gingembre
de 1 cm, pelé et émincé

1 bâton de cannelle

6 abricots frais

noix muscade fraîchement
râpée

2 cuil. à soupe d'amandes
effilées, pour décorer

crème fraîche, en garniture
(facultatif)

méthode

1 Chauffer une poêle à feu vif, ajouter les grains de poivre et les clous de girofle, faire revenir 1 minute à sec sans cesser de remuer, jusqu'à ce que les arômes se développent. Transférer immédiatement dans un mortier et réduire en poudre à l'aide d'un pilon.

2 Dans une casserole, verser le vin et l'eau, et ajouter le sucre, les grains de poivre, les clous de girofle, le gingembre et la cannelle. Chauffer à feu doux sans cesser de remuer jusqu'à ce que le sucre soit dissous, porter à ébullition sans remuer, laisser bouillir 8 minutes et retirer la cannelle. Ajouter les abricots, réduire le feu et laisser mijoter 5 minutes, jusqu'à ce qu'ils soient tendres. À l'aide d'une écumoire, transférer les abricots dans un bol d'eau froide, laisser tiédir et peler. Couper en deux, retirer les noyaux et transférer dans un plat de service.

3 Porter le vin épicé à ébullition et laisser bouillir jusqu'à ce que le mélange réduise. Ajouter de la noix muscade selon son goût, retirer du feu et laisser refroidir complètement. Verser sur les abricots, couvrir et réserver au réfrigérateur.

4 Servir les abricots arrosés de sirop, garnis d'amandes effilées et accompagnés de crème fraîche.

oranges et leur sauce au caramel et au miel

ingrédients

POUR 6 PERSONNES

9 oranges

175 ml d'eau

250 g de sucre cristallisé

3 cuil. à soupe de miel

méthode

1 Prélever le zeste des oranges à l'aide d'un zesteur, mettre dans une jatte, ajouter l'eau et laisser tremper 1 heure.

2 Transférer dans une casserole, faire mijoter 20 minutes et filtrer en réservant le zeste. Ajouter assez d'eau au liquide filtré pour obtenir 175 ml.

3 À l'aide d'un couteau tranchant, ôter la peau blanche des oranges et couper en rondelles de 5 mm d'épaisseur. Répartir dans un plat de service et parsemer d'un peu de zeste.

4 Dans une casserole, mettre les 175 ml de liquide réservé et le sucre, chauffer à feu doux jusqu'à ce que le sucre soit dissous et porter à ébullition. Laisser bouillir jusqu'à obtention d'un caramel clair, retirer du feu immédiatement et incorporer le miel et le zeste d'orange restant. Laisser tiédir, répartir sur les oranges et mettre au réfrigérateur au moins 3 heures avant de servir.

oranges au caramel

ingrédients

POUR 4 À 6 PERSONNES

4 grosses oranges juteuses

250 g de sucre en poudre

300 ml d'eau

4 à 6 cuil. à soupe d'amandes
effilées et grillées,
en garniture

méthode

1 À l'aide d'un couteau cranté, peler les oranges en veillant à bien retirer la peau blanche, séparer en quartiers et retirer les membranes. Procéder au-dessus d'une jatte de façon à recueillir le jus. Mettre les oranges dans une jatte et réserver le jus.

2 Dans une casserole, mettre le sucre et 150 ml d'eau, chauffer à feu moyen à vif sans cesser de remuer jusqu'à ce que le sucre soit dissous et porter à ébullition. Laisser bouillir sans remuer jusqu'à obtention d'un caramel doré.

3 Verser l'eau restante dans la casserole en veillant à se protéger des éventuelles projections. Remuer jusqu'à ce que le caramel soit dissous, retirer du feu et laisser tiédir. Mélanger le caramel et les oranges, laisser le tout refroidir complètement et couvrir de film alimentaire. Mettre au moins 2 heures au réfrigérateur avant de servir.

4 Transférer les oranges dans un plat de service, parsemer d'amandes effilées et servir.

fruits exotiques rôtis

ingrédients

POUR 4 PERSONNES

1 ananas

1 mangue, pelée, dénoyautée
    et coupée en lamelles

55 g de beurre

4 cuil. à soupe de mélasse
    (raffinée)

1 à 2 cuil. à café de cannelle

1 cuil. à café de noix
    muscade fraîchement
    râpée

4 cuil. à soupe de sucre
    en poudre roux

2 fruits de la passion

150 ml de crème fraîche

zeste finement râpé
    d'une orange

méthode

1 À l'aide d'un couteau tranchant, ôter la base et le sommet de l'ananas, couper en quatre dans la hauteur et retirer le cœur dur. Couper la chair en cubes, mettre dans un plat allant au four et ajouter la mangue.

2 Dans une casserole, mettre le beurre, la mélasse, la cannelle, la noix muscade et le sucre, chauffer à feu doux sans cesser de remuer jusqu'à ce le tout ait fondu et verser sur les fruits. Cuire au four préchauffé 20 minutes à 200 °C (th. 6-7), jusqu'à ce que l'ananas soit doré.

3 Couper les fruits de la passion, ôter les graines et répartir sur l'ananas et la mangue. Mélanger la crème fraîche et le zeste d'orange, et servir en accompagnement des fruits.

poires et leur sirop au miel

ingrédients

POUR 4 PERSONNES

4 poires

200 ml d'eau

1 cuil. à café de sucre

1 cuil. à soupe de miel

méthode

1 Peler les poires sans ôter les tiges, envelopper chacune de papier d'aluminium et mettre dans une casserole, les tiges reposant sur les parois. Verser de l'eau dans la casserole de sorte que les poires soient immergées à demi, porter à ébullition et laisser mijoter 30 minutes. Égoutter, retirer le papier d'aluminium en réservant le jus et laisser refroidir.

2 Dans une casserole, verser les 200 ml d'eau, ajouter le jus réservé, le sucre et le miel, et porter à ébullition. Laisser bouillir 5 minutes, retirer du feu et laisser tiédir.

3 Transférer les poires sur des assiettes à dessert, arroser de sirop et servir chaud.

poires Belle-Hélène

ingrédients

POUR 4 PERSONNES

4 poires mûres

jus d'un demi-citron

350 ml de vin à dessert

175 ml d'eau

1 gousse de vanille, fendue

crème glacée à la vanille

sauce au chocolat

175 g de chocolat noir, brisé
en carrés

5 cuil. à soupe d'eau

4 cuil. à soupe de crème
fraîche épaisse

méthode

1 Peler les poires, évider et couper en quartiers. Procéder en les plongeant au fur et à mesure dans un bol d'eau citronnée de façon à éviter la coloration.

2 Dans une sauteuse, verser le vin et l'eau, ajouter la gousse de vanille et les quartiers de poires, et porter à ébullition à feu vif. Réduire le feu immédiatement, conserver au point de frémissement et pocher 5 à 10 minutes, jusqu'à ce que les poires soient très tendres.

3 À l'aide d'une écumoire, transférer les poires dans un plat de service. Porter le liquide resté dans la casserole de nouveau à ébullition et laisser bouillir jusqu'à obtention de l'équivalent de 4 cuillerées à soupe. Transférer le tout dans le plat, laisser refroidir complètement et couvrir de film alimentaire. Mettre 1 heure à une nuit au réfrigérateur.

4 Pour la sauce au chocolat, mettre le chocolat et l'eau dans une casserole, chauffer à feu doux sans cesser de remuer jusqu'à ce que le chocolat ait fondu. Retirer la casserole du feu et incorporer la crème fraîche.

5 Répartir de la crème glacée à la vanille dans 6 coupes à dessert, ajouter les poires et napper de sauce au chocolat.

cerises au marsala

ingrédients

POUR 4 PERSONNES

140 g de sucre en poudre

zeste de 1 citron

1 bâton de cannelle de 5 cm

250 ml d'eau

250 ml de marsala

900 g de cerises,
    dénoyautées

150 ml de crème fraîche
    épaisse

méthode

1 Dans une casserole, mettre le sucre, le zeste de citron, le bâton de cannelle, le marsala et l'eau, et porter à ébullition sans cesser de remuer. Réduire le feu, laisser mijoter 5 minutes et retirer le bâton de cannelle.

2 Ajouter les cerises, couvrir et laisser mijoter 10 minutes à feu doux. Transférer les cerises dans une jatte.

3 Remettre la casserole sur le feu, porter à ébullition à feu vif et laisser bouillir 3 à 4 minutes, jusqu'à obtention d'une consistance sirupeuse. Napper les cerises, laisser refroidir et mettre 1 heure au réfrigérateur.

4 Fouetter la crème fraîche, répartir les cerises en sirop dans 4 coupes à dessert et garnir de crème fouettée. Servir immédiatement.

abricots pochés
à la sévillane

ingrédients

POUR 4 À 6 PERSONNES

12 abricots, coupés en deux
et dénoyautés

sirop

1/2 cuil. à café de graines
de fenouil

1/2 cuil. à café de graines
de coriandre

1/4 de cuil. à café de grains
de poivre noir

200 g de sucre en poudre

225 ml de vin rouge,
du rioja par exemple

225 ml d'eau

3 cuil. à soupe de jus
d'orange

2 cuil. à soupe de jus
de citron

2 cuil. à soupe de crème
de xérès

3 clous de girofle

1 bâton de cannelle

2 cuil. à soupe d'amandes
effilées et grillées,
en garniture

méthode

1 Pour le sirop, griller à sec les graines de fenouil, les graines de coriandre et les grains de poivre 1 minute à feu vif, jusqu'à ce que les arômes se développent. Transférer immédiatement dans un mortier et piler.

2 Dans une casserole, mettre le sucre, le vin, l'eau, le jus d'orange et de citron, le xérès et les épices, chauffer à feu moyen sans cesser de remuer jusqu'à ce que le sucre soit dissous et porter à ébullition. Laisser bouillir 5 minutes sans remuer, retirer la cannelle, ajouter les abricots et laisser mijoter 6 à 8 minutes, jusqu'à ce qu'ils soient tendres. Retirer du feu, transférer les fruits dans un bol d'eau glacée et laisser tiédir. Peler, couvrir et réserver au réfrigérateur.

3 Porter le contenu de la casserole de nouveau à ébullition et laisser bouillir jusqu'à ce que le sirop épaississe et que les arômes se développent. Retirer du feu et laisser refroidir.

4 Pour servir, mettre les abricots dans un plat de service, arroser de sirop et parsemer d'amandes effilées.

nids de fruits des bois

ingrédients

POUR 4 PERSONNES

2 à 3 cuil. à soupe d'huile
d'olive au citron

8 feuilles de pâte filo

250 g de myrtilles

250 g de framboises

250 g de mûres

3 cuil. à soupe de sucre
en poudre

1 cuil. à café de poivre
de la Jamaïque

brins de menthe fraîche,
pour décorer

crème fraîche épaisse,
en accompagnement

méthode

1 Enduire 4 moules à muffins d'huile d'olive. Couper chaque feuille de pâte filo en 2 carrés de 12 cm, enduire chaque carré d'huile d'olive et foncer chaque moule à muffin avec 4 carrés. Mettre sur une plaque et cuire au four préchauffé 7 à 8 minutes à 180 °C (th. 6), jusqu'à ce que les fonds de tartelettes soient dorés. Retirer du four et réserver.

2 Dans une casserole, mettre les fruits des bois, le sucre et le poivre de la Jamaïque, porter à frémissement à feu moyen et réduire le feu. Laisser mijoter 10 minutes en remuant souvent, retirer du feu et égoutter. Répartir dans les fonds de tartelettes à l'aide d'une écumoire, garnir de brins de menthe et servir chaud, accompagné de crème fraîche épaisse.

salade de fruits

ingrédients

POUR 4 PERSONNES

1 papaye, coupée en deux,
pelée et épépinée

2 bananes, coupées
en rondelles épaisses

1 petit ananas, pelé et coupé
en triangles

12 litchis, pelés

1 petit melon, épépiné
et coupé en quartiers

2 oranges

zeste râpé et jus d'un citron
vert

2 cuil. à soupe de sucre
en poudre

méthode

1 Répartir la papaye, les bananes, l'ananas, les litchis et le melon dans un plat de service. Peler les oranges, séparer en quartiers en retirant les membranes et ajouter aux fruits. Râper un peu du zeste retiré des oranges et ajouter aux fruits.

2 Mélanger le zeste de citron vert, le jus de citron vert et le sucre, verser sur les fruits et servir.

papillotes de fruits exotiques

ingrédients

POUR 4 PERSONNES

2 kiwis, pelés et coupés
    en deux

4 litchies, pelés, coupés
    en deux et dénoyautés

2 fruits de la passion, coupés
    en deux, graines prélevées

8 physalis, sans les feuilles,
    coupés en deux

85 g de mangue, coupée
    en cubes de 2 cm

1 kaki, coupé en rondelles
    de 2 cm d'épaisseur

85 g de framboises

2 gousses de vanille, coupées
    en deux dans la longueur

2 bâtons de cannelle, coupés
    en deux

4 anis étoilés

4 feuilles de laurier

4 cuil. à soupe de jus
    d'orange

méthode

1 Couper 4 carrés de papier sulfurisé de 40 cm de côté et placer sur des carrés de papier d'aluminium. Plier en deux de façon à obtenir des triangles et ouvrir de nouveau.

2 Répartir les fruits sur les carrés et ajouter les gousses de vanille, la cannelle, l'anis étoilé, les feuilles de laurier et le jus d'orange.

3 Replier chaque carré en triangle, rabattre les coins et froisser les bords de façon à obtenir des papillotes hermétiques. Mettre sur des plaques et cuire au four préchauffé 10 à 12 minutes à 200 °C (th. 6-7), jusqu'à ce que les papillotes soient gonflées de vapeur.

4 Transférer les papillotes directement sur des assiettes à dessert et ouvrir à table.

fondue au chocolat

ingrédients

POUR 6 PERSONNES

1 ananas

1 mangue

12 physalis

250 g de framboises

250 g de raisin blanc

fondue

250 g de chocolat noir, brisé
en carrés

150 ml de crème fraîche
épaisse

2 cuil. à soupe de cognac

méthode

1 À l'aide d'un couteau tranchant, peler l'ananas, retirer le centre dur et couper la chair en cubes. Peler la mangue et couper la chair en cubes. Relever les feuilles des physalis et les vriller de façon à pouvoir les saisir facilement. Répartir les fruits dans 6 coupelles et réserver au réfrigérateur.

2 Pour la fondue, mettre le chocolat et la crème fraîche dans un récipient à fondue, chauffer à température minimale jusqu'à ce que le chocolat ait fondu et incorporer le cognac.

3 Pour servir, laisser les invités plonger les morceaux de fruits dans le chocolat à l'aide de fourchettes ou de brochettes en bambou.

crêpes au chocolat et aux fruits exotiques

ingrédients

POUR 4 PERSONNES

100 g de farine

2 cuil. à soupe de cacao
   en poudre

1 pincée de sel

1 œuf, battu

300 ml de lait

huile, pour la cuisson

sucre glace, pour saupoudrer

garniture

100 g de yaourt nature

250 g de mascarpone

sucre glace (facultatif)

1 mangue, pelée et coupée
   en dés

225 g de fraises, équeutées
   et coupées en quartiers

2 fruits de la passion

méthode

1 Pour la garniture, mettre le mascarpone et le yaourt dans une terrine et ajouter du sucre selon son goût. Mettre la mangue et les fraises dans la terrine et mélanger. Couper les fruits de la passion en deux, prélever les graines et ajouter dans la terrine. Mélanger et réserver.

2 Pour les crêpes, tamiser la farine, le cacao et le sel dans une jatte, creuser un puits au centre et ajouter l'œuf dans le puits. Battre à l'aide d'un fouet et incorporer progressivement le lait de façon à obtenir une pâte fluide. Couvrir et laisser reposer 20 minutes. Chauffer un peu d'huile dans une poêle de 18 cm, verser assez de pâte pour couvrir le fond de la poêle et cuire 1 minute à feu moyen à vif. Retourner et cuire encore 30 secondes à 1 minute.

3 Transférer la crêpe sur une assiette et réserver au chaud. Répéter l'opération avec les ingrédients restants en réservant les crêpes au four. Répartir la garniture sur les crêpes, rouler, saupoudrer de sucre glace et servir chaud.

pavlova

ingrédients

POUR 4 PERSONNES

6 blancs d'œufs

1 pincée de crème de tartre

1 pincée de sel

275 g de sucre en poudre

600 ml de crème fraîche
    épaisse

1 cuil. à café d'extrait
    de vanille

2 kiwis, pelés et coupés
    en rondelles

250 g de fraises, équeutées
    et coupées en lamelles

3 pêches, coupées
    en rondelles

1 mangue, pelée et coupée
    en lamelles

2 cuil. à soupe de liqueur
    d'orange

feuilles de menthe fraîche,
    en garniture

méthode

1 Chemiser 3 plaques de four avec du papier sulfurisé et dessiner des cercles de 22 cm au centre de chacune. Monter les blancs d'œufs en neige ferme, incorporer la crème de tartre et le sel, et ajouter progressivement 200 g de sucre. Battre 2 minutes jusqu'à obtention d'une consistance brillante, transférer dans une poche à douille et garnir chaque cercle en dôme. Cuire au four préchauffé 3 heures à 110 °C (th. 1-2). Retirer du four et laisser refroidir.

2 Fouetter la crème fraîche avec l'extrait de vanille et le sucre restant. Mettre les fruits dans une jatte et incorporer la liqueur. Placer un rond de meringue sur un plat de service, napper d'un tiers de la crème sucrée et ajouter un tiers des fruits. Ajouter un rond de meringue sur le tout et répéter l'opération avec les ingrédients restants, décorer de feuilles de menthe et servir.

entremets

Un entremets est tout indiqué pour clore un repas entre amis : vous n'aurez qu'à le préparer à l'avance puis à l'oublier jusqu'au moment du dessert et le servir, froid et délicieux, à vos invités.

À l'occasion d'un rassemblement familial, gâtez petits et grands avec des crèmes brûlées à la mangue, une version originale et plus simple à préparer de ce traditionnel dessert, apprécié de tous. Si vous aimez les défis et que votre entourage apprécie les dessert sophistiqués, ne passez pas à côté de ces régals que sont les crèmes brûlées au café ou les crèmes brûlées à la catalane. Une variante de la célèbre île flottante vaut également le détour : les œufs à la neige au chocolat, des blancs en neige « flottant » sur une crème au chocolat.

Le tiramisu, inventé dans les années 1970, est vite devenu un grand classique. Goûtez également la variante de cette délicieuse recette, additionnée de cerises.

Le mascarpone possède une saveur douce, qui se prête bien à la préparation des entremets – régalez-vous avec les crèmes au mascarpone, à base de biscuits amaretti qui leur confèrent un croquant délicieux, ou le gâteau au chocolat et au cognac, à réserver aux plus grands, bien sûr ! Les amateurs de desserts alcoolisés apprécieront aussi le zucotto – préparé la veille, il sera encore meilleur !

crèmes brûlées au café

ingrédients

POUR 4 PERSONNES

450 ml de crème fraîche
épaisse

1 cuil. à soupe de café
soluble corsé

4 gros jaunes d'œufs

100 g de sucre en poudre

2 cuil. à soupe de liqueur
de café

4 cuil. à soupe de sucre en
poudre, pour caraméliser

méthode

1 Dans une casserole, mettre la crème fraîche et porter au point de frémissement à feu moyen à vif. Incorporer le café soluble, retirer du feu et laisser refroidir complètement.

2 Dans une jatte, battre légèrement les jaunes d'œufs, ajouter le sucre et battre jusqu'à ce que le mélange blanchisse. Porter de nouveau la crème fraîche au point d'ébullition, incorporer progressivement la préparation précédente sans cesser de battre et ajouter la liqueur de café.

3 Répartir la préparation dans 4 ramequins en porcelaine peu profonds, disposer sur une plaque et cuire au four préchauffé 35 à 40 minutes à 110 °C (th. 1-2), jusqu'à ce que les crèmes aient pris.

4 Sortir les crèmes du four, laisser refroidir complètement et couvrir de film alimentaire. Mettre au réfrigérateur 4 heures à une nuit.

5 Pour servir, saupoudrer la surface des crèmes de sucre et caraméliser à l'aide d'un chalumeau de cuisine ou passer au gril. Laisser refroidir quelques minutes, de sorte que le caramel durcisse.

crèmes brûlées à la catalane

ingrédients

POUR 6 PERSONNES

750 ml de lait entier

1 gousse de vanille, fendue

zeste d'un demi-citron

7 gros jaunes d'œufs

200 g de sucre en poudre

3 cuil. à soupe de maïzena

méthode

1 La veille, verser le lait dans une casserole, ajouter la gousse de vanille et le zeste de citron, et porter à ébullition. Retirer du feu et laisser infuser 30 minutes.

2 Mettre les jaunes d'œufs et 100 g de sucre dans une jatte, disposer le tout sur une casserole d'eau frémissante et battre jusqu'à obtention d'une consistance crémeuse.

3 Remettre la casserole contenant le lait sur le feu et porter au point de frémissement. Prélever 4 cuillerées à soupe, délayer la maïzena et ajouter le mélange obtenu dans la casserole. Chauffer 1 minute à feu doux sans cesser de remuer, filtrer et incorporer dans la jatte.

4 Remettre la jatte sur la casserole d'eau frémissante et cuire 25 à 30 minutes en remuant souvent, jusqu'à obtention d'une consistance épaisse qui nappe la cuillère. Veiller à ce que la jatte ne touche pas l'eau. Répartir la crème dans 6 ramequins de 10 cm de diamètre et laisser refroidir complètement. Couvrir et mettre au réfrigérateur au moins 12 heures.

5 Pour servir, garnir les crèmes d'une couche de sucre en poudre et caraméliser à l'aide d'un chalumeau de cuisine. Laisser prendre et servir. Le caramel reste ferme 1 heure à température ambiante.

crèmes brûlées
à la mangue

ingrédients

POUR 4 PERSONNES

2 mangues

250 g de mascarpone

200 ml de yaourt à la grecque

1 cuil. à café de gingembre
    en poudre

zeste râpé et jus de 1 citron

2 cuil. à soupe de sucre
    blond

8 cuil. à soupe de sucre roux
    non raffiné

méthode

1 Couper les mangues dans la hauteur de chaque côté du noyau, jeter le noyau et peler la chair. Hacher et répartir dans 4 ramequins.

2 Battre le mascarpone avec le yaourt, ajouter le gingembre, le jus de citron, le zeste et le sucre blond. Répartir la préparation dans les ramequins, lisser la surface et mettre au congélateur 2 heures.

3 Parsemer de sucre roux de façon à recouvrir la préparation et passer au gril 2 à 3 minutes, jusqu'à ce que le sucre ait fondu et doré. Laisser refroidir et réserver au réfrigérateur. Consommer le jour même.

crème catalane

ingrédients

POUR 6 PERSONNES

550 ml de lait entier

jus d'une demi-orange avec
2 morceaux de zeste retirés

1 gousse de vanille, fendue,
ou 1/2 cuil. à café d'extrait
de vanille

175 g de sucre en poudre

beurre, pour graisser

3 gros œufs, plus 2 jaunes
d'œufs

méthode

1 Dans une casserole, mettre le lait, le zeste d'orange et la gousse de vanille, porter à ébullition et retirer du feu. Incorporer 85 g de sucre et laisser reposer 30 minutes.

2 Dans une autre casserole, mettre le sucre restant et 4 cuillerées à soupe d'eau, chauffer à feu moyen à vif jusqu'à ce que le sucre soit dissous et porter à ébullition sans remuer jusqu'à obtention d'un caramel doré. Retirer immédiatement du feu et ajouter quelques gouttes de jus d'orange de façon à stopper la cuisson. Répartir dans un moule à soufflé légèrement graissé d'une contenance de 1,25 l.

3 Remettre la casserole contenant le lait sur le feu et porter à ébullition. Dans une jatte, battre les œufs et les jaunes d'œufs, incorporer progressivement la préparation à base de lait sans cesser de battre et filtrer dans le moule.

4 Mettre le moule dans un plat à gratin et verser de l'eau dans le plat de sorte que le moule soit immergé à demi. Cuire au four préchauffé 75 à 90 minutes, jusqu'à ce que la crème ait pris. Retirer le moule du plat et laisser refroidir. Couvrir et mettre au réfrigérateur une nuit. Pour servir, passer une spatule métallique le long des parois du moule et démouler sur un plat de service.

îles flottantes

ingrédients

POUR 4 PERSONNES

1 litre de lait, un peu plus
    si nécessaire

1 gousse de vanille, fendue

150 g de sucre en poudre

6 jaunes d'œufs

1½ cuil. à soupe d'eau

1 trait de jus de citron

blancs en neige

2 gros blancs d'œufs

½ cuil. à café de crème
    de tartre

55 g de sucre en poudre

55 g de sucre glace

méthode

1 Dans une jatte, battre les blancs d'œufs jusqu'à ce qu'ils soient mousseux. Incorporer la crème de tartre et monter en neige souple, puis monter en neige ferme en ajoutant le sucre, 1 cuillerée à la fois. Tamiser le sucre glace dans la jatte et battre jusqu'à obtention d'un aspect brillant.

2 Dans une grande sauteuse, porter le lait à ébullition à feu moyen et réduire le feu. À l'aide d'une cuillère à soupe plongée dans de l'eau, déposer un quart des blancs en neige dans le lait frémissant, pocher 5 minutes et égoutter sur du papier absorbant. Répéter l'opération avec les blancs en neige restants.

3 Filtrer le lait et prélever 0,75 l. Verser dans une casserole, ajouter la gousse de vanille et porter à ébullition à feu moyen. Retirer du feu, couvrir et laisser reposer. Battre les jaunes d'œufs avec 100 g de sucre jusqu'à ce que le mélange blanchisse. Retirer la gousse du lait et en verser un quart dans le mélange à base d'œufs en battant bien. Reverser le tout dans la casserole et laisser mijoter 10 minutes sans cesser de remuer. Laisser refroidir, répartir dans 4 ramequins et ajouter les blancs en neige. Couvrir et mettre au réfrigérateur.

4 Dans une casserole, dissoudre le sucre restant dans l'eau à feu moyen en remuant, porter à ébullition sans remuer et laisser bouillir jusqu'à obtention d'un caramel. Retirer du feu, ajouter le jus de citron et napper les îles flottantes.

œufs à la neige au chocolat

ingrédients

POUR 6 PERSONNES

600 ml de lait

1 cuil. à café d'extrait
de vanille

175 g de sucre en poudre

2 blancs d'œufs

cacao en poudre, pour
saupoudrer

crème au chocolat

4 cuil. à soupe de sucre
en poudre

3 cuil. à soupe de cacao
en poudre

4 jaunes d'œufs

méthode

1 Dans une casserole, mettre le lait, l'extrait
de vanille et 5 cuillerées à soupe de sucre,
chauffer à feu doux jusqu'à ce que le sucre
soit dissous et laisser mijoter à feu doux.

2 Monter les blancs d'œufs en neige ferme,
incorporer 2 cuillerées à soupe de sucre
et battre jusqu'à obtention d'une consistance
brillante. Incorporer délicatement le sucre
restant.

3 Déposer des cuillerées de blancs en neige
dans la préparation frémissante et cuire 4 à
5 minutes en retournant une fois, jusqu'à ce
que les blancs en neige soient fermes. Retirer
à l'aide d'une écumoire, égoutter sur du papier
absorbant et répéter l'opération avec les blancs
en neige restants. Réserver la préparation à
base de lait.

4 Pour la crème au chocolat, mettre le sucre,
le cacao et les jaunes d'œufs dans une jatte
résistant à la chaleur, mélanger et ajouter la
préparation à base de lait. Disposer la jatte sur
une casserole d'eau frémissante en veillant
à ce que la jatte ne touche pas l'eau et cuire
5 à 10 minutes sans cesser de fouetter, jusqu'à
ce que la crème épaississe. Retirer du feu,
laisser tiédir et répartir dans 6 coupes. Ajouter
les œufs à la neige, couvrir et mettre au
réfrigérateur 2 heures. Saupoudrer de cacao
et servir.

panna cotta au café
et sa sauce au chocolat

ingrédients

POUR 6 PERSONNES

huile, pour graisser

600 ml de crème fraîche
épaisse

1 gousse de vanille, incisée,
graines retirées
et réservées

55 g de sucre roux en poudre

2 cuil. à café de café soluble
en poudre, dissous dans
4 cuil. à soupe d'eau
chaude

2 cuil. à café de gélatine
en poudre

grains de café au chocolat,
pour décorer

cacao, pour saupoudrer

sauce

150 ml de crème fraîche
liquide

55 g de chocolat noir, fondu

méthode

1 Huiler 6 ramequins d'une contenance de
150 ml. Dans une casserole, mettre la crème
fraîche, ajouter le sucre, la gousse de vanille
et les graines, et chauffer à feu doux jusqu'au
point de frémissement. Filtrer, transférer dans
une jatte résistant à la chaleur et réserver.
Mettre le café dans une autre jatte résistant
à la chaleur, saupoudrer de gélatine et laisser
prendre 5 minutes, jusqu'à ce que le mélange
mousse. Disposer sur une casserole d'eau
frémissante et chauffer jusqu'à ce que la gélatine
ait pris.

2 Ajouter un peu de crème vanillée à la gélatine,
mélanger et incorporer la crème vanillée restante.
Répartir dans les moules, laisser refroidir et
mettre au réfrigérateur 8 heures à une nuit.

3 Pour la sauce, mettre un quart de la crème
fraîche dans une jatte et incorporer le chocolat
fondu. Incorporer la crème fraîche restante en
réservant 1 cuillerée à soupe. Pour servir, plonger
la base des moules dans de l'eau chaude,
démouler sur des assiettes à dessert et napper
de crème chocolatée. Verser quelques gouttes
de crème fraîche liquide et créer des formes
décoratives en y passant la pointe d'une pique
à cocktail. Garnir de grains de café au chocolat
et saupoudrer de cacao.

desserts à la ricotta et leur coulis de framboises

ingrédients

POUR 8 PERSONNES

225 g de ricotta

55 g de sucre glace, tamisé

300 ml de crème fraîche
    épaisse

1 cuil. à café d'extrait
    de vanille

55 g de chocolat noir, râpé

2 blancs d'œufs

coulis

225 g de framboises fraîches

sucre glace, selon son goût

décoration

fraises fraîches, coupées
    en deux

framboises fraîches

méthode

1 Chemiser 8 moules de mousseline. Presser la ricotta au travers d'un tamis, transférer dans une jatte, incorporer le sucre glace, la crème fraîche et l'extrait de vanille et ajouter le chocolat râpé. Battre les blancs en neige souple et incorporer au mélange précédent.

2 Répartir la préparation dans les moules, disposer les moules sur une plaque et laisser reposer 8 heures à une nuit – la mousseline doit absorber la plupart du liquide.

3 Pour le coulis, mettre les framboises dans un robot de cuisine et réduire en purée. Presser au travers d'un tamis et incorporer le sucre glace selon son goût. Démouler les desserts sur des assiettes, napper de coulis et décorer de fraises et de framboises fraîches.

crèmes au mascarpone

ingrédients

POUR 4 PERSONNES

115 g de biscuits amaretti,
    émiettés
4 cuil. à soupe d'amaretto
4 œufs, blancs et jaunes
    séparés
55 g de sucre en poudre
225 g de mascarpone
amandes effilées et grillées,
    pour décorer

méthode

1 Dans une jatte, mettre les miettes de biscuits, ajouter l'amaretto et laisser tremper.

2 Battre les jaunes d'œufs avec le sucre jusqu'à ce que le mélange blanchisse, incorporer le mascarpone et les miettes de biscuits.

3 Battre les blancs d'œufs en neige ferme, incorporer progressivement à la préparation précédente et répartir le tout dans 4 coupes à glace. Mettre au réfrigérateur 1 à 2 heures, parsemer d'amandes effilées et servir immédiatement.

crèmes chocolatées au rhum

ingrédients

POUR 6 PERSONNES

100 g de chocolat noir, brisé en carrés

150 ml de crème fraîche liquide

300 ml de crème fouettée

1 cuil. à soupe de sucre glace, tamisé

2 cuil. à soupe de rhum

copeaux de chocolat, pour décorer

méthode

1 Dans une casserole, mettre le chocolat et la crème fraîche liquide, chauffer à feu très doux jusqu'à ce que le chocolat ait fondu et mélanger jusqu'à obtention d'une consistance homogène. Retirer du feu et laisser refroidir. Dans une jatte, battre la crème fouettée à l'aide d'un batteur électrique.

2 Incorporer le sucre et le rhum au mélange précédent en veillant à ne pas trop battre.

3 Répartir la préparation dans 6 coupes à dessert, couvrir de film alimentaire et mettre au réfrigérateur 1 à 2 heures. Parsemer de copeaux de chocolat et servir.

mousse au chocolat

ingrédients

POUR 4 À 6 PERSONNES

225 g de chocolat noir, brisé en carrés

2 cuil. à soupe de cognac, de cointreau ou de Grand Marnier

4 cuil. à soupe d'eau

30 g de beurre, coupé en dés

3 gros œufs, blancs et jaunes séparés

1/4 de cuil. à café de crème de tartre

55 g de sucre

125 ml de crème fraîche épaisse

méthode

1 Dans une casserole, mettre le chocolat, l'eau et le cognac, chauffer à feu doux sans cesser de remuer jusqu'à ce que le chocolat ait fondu. Retirer du feu et incorporer le beurre en battant bien. Ajouter les jaunes d'œufs, un à un, et laisser tiédir.

2 À l'aide d'un batteur électrique, battre les blancs d'œufs à vitesse réduite jusqu'à ce qu'ils soient mousseux. Augmenter progressivement la vitesse du batteur et monter les blancs en neige souple. Saupoudrer de crème de tartre et monter en neige ferme en ajoutant le sucre, 1 cuillerée à la fois. Incorporer quelques cuillerées à soupe des blancs en neige à la préparation à base de chocolat.

3 Fouetter la crème fraîche, ajouter au mélange précédent et incorporer les blancs en neige restants. Procéder à l'aide d'une spatule métallique.

4 Transférer la mousse au chocolat dans un grand plat de service ou répartir dans 4 à 6 ramequins. Couvrir de film alimentaire et mettre au moins 3 heures au réfrigérateur.

mousse au chocolat blanc

ingrédients

POUR 6 PERSONNES

250 g de chocolat blanc,
   brisé en carrés

100 ml de lait

300 ml de crème fraîche
   épaisse

1 cuil. à café d'eau de rose

2 blancs d'œufs

115 g de chocolat noir, brisé
   en carrés

pétales de roses cristallisés,
   en garniture

méthode

1 Dans une casserole, mettre le chocolat et le lait, chauffer à feu doux jusqu'à ce que le chocolat ait fondu et remuer. Transférer dans une jatte et laisser refroidir.

2 Fouetter la crème fraîche avec l'eau de rose et monter les blancs d'œufs en neige. Ajouter délicatement la crème fouettée au chocolat fondu, incorporer les blancs en neige et répartir le tout dans 6 coupes à dessert. Couvrir de film alimentaire, mettre au réfrigérateur et laisser prendre 8 heures à une nuit.

3 Faire fondre le chocolat noir au bain-marie, laisser refroidir et répartir sur les mousses. Laisser prendre le chocolat noir, décorer de pétales cristallisés et servir.

terrine aux châtaignes et au chocolat

ingrédients

POUR 6 PERSONNES

200 ml de crème fraîche
    épaisse
115 g de chocolat noir,
    fondu et refroidi
100 ml de rhum
1 paquet de petits beurre
225 g de purée de châtaigne
cacao amer, pour décorer
sucre glace, pour décorer

méthode

1 Chemiser un moule à cake d'une contenance de 450 g de film alimentaire. Dans une jatte, fouetter la crème fraîche et incorporer le chocolat à l'aide d'une spatule.

2 Plonger 4 biscuits dans le rhum, répartir dans le fond du moule et répéter l'opération avec 4 autres biscuits. Napper avec la moitié de la crème chocolatée et couvrir avec 8 biscuits trempés dans le rhum. Napper avec la purée de châtaigne et couvrir avec 8 biscuits trempés dans le rhum. Ajouter la crème restante et terminer par 8 biscuits trempés dans le rhum. Couvrir de film alimentaire et mettre au réfrigérateur 8 heures à une nuit entière.

3 Démouler la terrine sur un plat de service et saupoudrer de cacao en poudre. Découper des lanières de papier sulfurisé, placer sur la terrine au hasard et saupoudrer de sucre glace. Retirer délicatement les lanières de papier sulfurisé. Pour servir, plonger un couteau tranchant dans de l'eau très chaude, sécher et couper la terrine en tranches.

zucotto

ingrédients

POUR 6 PERSONNES

115 g de margarine, un peu
plus pour graisser

100 g de farine levante

2 cuil. à soupe de cacao
en poudre

1/2 cuil. à café de levure
chimique

115 g de sucre roux en poudre

2 œufs, battus

3 cuil. à soupe de cognac

2 cuil. à soupe de kirsch

garniture

300 ml de crème fraîche
épaisse

25 g de sucre glace, tamisé

55 g d'amandes grillées,
hachées

225 g de cerises burlat,
dénoyautées

55 g de chocolat noir,
finement concassé

décoration

1 cuil. à soupe de cacao
en poudre

1 cuil. à soupe de sucre glace

cerises fraîches

méthode

1 Préchauffer le four à 190 °C (th. 6-7). Beurrer et chemiser un moule de 30 x 23 cm. Tamiser la farine, le cacao et la levure dans une jatte, ajouter le sucre, la margarine et les œufs, et battre énergiquement, jusqu'à obtention d'une consistance homogène. Garnir le moule, cuire au four préchauffé 15 à 20 minutes, jusqu'à ce que la génoise ait levé et soit ferme au toucher, et laisser tiédir 5 minutes. Démouler et laisser refroidir sur une grille.

2 Découper un rond dans la génoise à l'aide d'un moule à baba d'une contenance de 1,2 l et réserver. Chemiser le moule de film alimentaire et découper la génoise restante pour couvrir l'intérieur du moule. Dans une jatte, mettre le kirsch et le cognac, mélanger et arroser la génoise.

3 Pour la garniture, mettre la crème fraîche dans une jatte, ajouter le sucre glace et fouetter jusqu'à ce que le mélange épaississe. Ajouter les cerises, les amandes et le chocolat, garnir le moule tapissé de génoise avec la préparation obtenue et disposer le cercle réservé dessus en appuyant bien. Recouvrir avec une assiette et lester, mettre au réfrigérateur 6 à 8 heures, ou toute une nuit. Démouler le zucotto dans un plat, tamiser le cacao en poudre et le sucre glace en alternance sur le zucotto et garnir de cerises fraîches.

diplomate au chocolat

ingrédients

POUR 4 PERSONNES

280 g de génoise au chocolat

3 à 4 cuil. à soupe de confiture
de framboises

4 cuil. à soupe d'amaretto

250 g de fruits rouges
surgelés, décongelés

crème

6 jaunes d'œufs

55 g de sucre en poudre

1 cuil. à soupe de maïzena

500 ml de lait

55 g de chocolat noir, fondu

garniture

225 ml de crème fraîche
épaisse

1 cuil. à soupe de sucre
blond

1/2 cuil. à café d'extrait
de vanille

décoration

truffes en chocolat

fruits rouges frais

méthode

1 Couper la génoise en tranches, assembler les tranches deux par deux avec la confiture tartinée au centre, et couper le tout en cubes. Mettre les cubes dans un plat de service, arroser d'amaretto et ajouter les fruits en répartissant bien.

2 Pour la crème, mettre les jaunes d'œufs et le sucre dans une jatte, battre jusqu'à ce que le mélange blanchisse et incorporer la maïzena. Dans une casserole, porter le lait au point de frémissement, verser dans la jatte et mélanger. Reverser le tout dans la casserole, porter au point d'ébullition sans cesser de remuer de sorte que la crème épaississe, et retirer du feu. Laisser tiédir, incorporer le chocolat fondu et répartir le tout dans le plat de service. Laisser refroidir complètement, couvrir et mettre au réfrigérateur 2 heures, jusqu'à ce que la crème ait pris.

3 Pour la garniture, fouetter la crème fraîche, incorporer le sucre et l'extrait de vanille, et répartir le tout sur le diplomate. Décorer de truffes en chocolat et de fruits frais, et réserver au réfrigérateur.

tiramisu

ingrédients

POUR 4 PERSONNES

200 ml de café fort,
    à température ambiante

4 cuil. à soupe de liqueur
    d'orange

3 cuil. à soupe de jus
    d'orange

16 boudoirs

250 g de mascarpone

300 ml de crème fraîche
    épaisse, légèrement
    fouettée

3 cuil. à soupe de sucre glace

zeste râpé d'une orange

60 g de chocolat noir, râpé

décoration

amandes concassées, grillées

zeste d'orange confit

copeaux de chocolat

méthode

1 Dans un pichet, mélanger le café, la liqueur et le jus d'orange. Mettre 8 boudoirs au fond d'un plat de service et verser la moitié du mélange précédent.

2 Mélanger le mascarpone, la crème fraîche, le sucre glace et le zeste d'orange, et répartir la moitié du mélange obtenu sur les boudoirs. Ajouter les boudoirs restants, verser le mélange à base de café restant et couvrir avec le mélange à base de mascarpone restant. Parsemer de chocolat noir râpé et mettre au réfrigérateur au moins 2 heures.

3 Servir décoré d'amandes concassées, de zeste d'orange confit et de copeaux de chocolat.

tiramisu à la cerise

ingrédients

POUR 4 PERSONNES

200 ml de café fort,
    à température ambiante

6 cuil. à soupe de liqueur
    de cerise

16 boudoirs

250 g de mascarpone

300 ml de crème fraîche
    épaisse, légèrement
    fouettée

3 cuil. à soupe de sucre glace

275 g de cerises, coupées
    en deux et dénoyautées

60 g de copeaux de chocolat
    noir

cerises entières, pour décorer

méthode

1 Dans un pichet, mélanger le café et la liqueur de cerise. Mettre 8 boudoirs au fond d'un plat de service et verser la moitié du mélange précédent.

2 Mélanger le mascarpone, la crème fraîche et le sucre glace, répartir la moitié du mélange obtenu sur les boudoirs et garnir de la moitié des cerises. Ajouter les boudoirs restants, verser le mélange à base de café restant et garnir des cerises restantes. Couvrir avec le mélange à base de mascarpone restant, parsemer de copeaux de chocolat et couvrir de film alimentaire. Mettre au réfrigérateur 2 heures.

3 Sortir du réfrigérateur, décorer de cerises entières et servir.

gâteau au chocolat et au cognac

ingrédients

POUR 12 PERSONNES

base

100 g de beurre, un peu plus
pour graisser

250 g de biscuits
au gingembre

75 g de chocolat noir

garniture

225 g de chocolat noir

250 g de mascarpone

2 œufs, blancs et jaunes
séparés

3 cuil. à soupe de cognac

300 ml de crème fraîche
épaisse

4 cuil. à soupe de sucre
en poudre

décoration

100 ml de crème fraîche
épaisse

grains de café enrobés
de chocolat

méthode

1 Beurrer un moule de 23 cm de diamètre. Mettre les biscuits dans un sac en plastique, écraser à l'aide d'un rouleau à pâtisserie et transférer dans une jatte. Mettre le chocolat et le beurre dans une casserole, chauffer à feu doux jusqu'à ce qu'ils aient fondu et verser dans la jatte. Mélanger, presser le tout dans le moule et réserver au réfrigérateur.

2 Pour la garniture, chauffer le chocolat au bain-marie sans cesser de remuer jusqu'à ce qu'il ait fondu. Retirer du feu et incorporer le mascarpone, les jaunes d'œufs et le cognac.

3 Fouetter la crème fraîche et incorporer au mélange précédent.

4 Monter les blancs d'œufs en neige souple, puis monter en neige ferme en incorporant progressivement le sucre de façon à obtenir une consistance épaisse et brillante. Ajouter à la préparation précédente en deux fois, et mélanger délicatement.

5 Répartir le tout dans le fond de tarte et mettre au réfrigérateur 2 heures. Démouler sur un plat de service et décorer de crème fraîche et de grains de café enrobés de chocolat.

cheesecake de Manhattan

ingrédients

POUR 8 À 10 PERSONNES

6 cuil. à soupe de beurre

200 g de petits beurres, écrasés

huile de tournesol, pour huiler

400 g de fromage à la crème

2 gros œufs

140 g de sucre

$1^{1}/_{2}$ cuil. à café d'extrait de vanille

450 ml de crème aigre

garniture
aux myrtilles

55 g de sucre en poudre

4 cuil. à soupe d'eau

250 g de myrtilles fraîches

1 cuil. à café d'arrow-root

méthode

1 Huiler un moule à fond amovible de 20 cm de diamètre. Dans une casserole, faire fondre le beurre à feu doux, incorporer les biscuits et garnir le moule de la préparation. Mixer le fromage à la crème, les œufs, 100 g de sucre et $^{1}/_{2}$ cuillerée à café d'extrait de vanille dans un robot de cuisine de façon à obtenir une consistance homogène, répartir dans le moule et lisser la surface. Disposer le moule sur une plaque et cuire au four préchauffé 20 minutes à 190 °C (th. 6-7). Sortir du four et réserver 20 minutes en laissant le four allumé.

2 Dans une jatte, mettre la crème, le sucre et l'extrait de vanille restants, mélanger et verser dans le moule. Cuire au four encore 10 minutes, sortir du four et laisser refroidir. Mettre 8 heures au réfrigérateur.

3 Dans une casserole, mettre le sucre et la moitié de l'eau, chauffer à feu doux sans cesser de remuer jusqu'à ce que le sucre soit dissous et augmenter le feu. Ajouter les myrtilles, cuire jusqu'à ce qu'elles ramollissent et retirer du feu. Dans une jatte, mélanger l'arrow-root et l'eau restante, ajouter aux myrtilles et mélanger jusqu'à obtention d'une consistance homogène. Cuire à feu doux jusqu'à ce que le jus épaississe et laisser refroidir. Démouler le cheesecake 1 heure avant de servir, garnir de fruits et réserver au frais.

cheesecake irlandais

ingrédients

POUR 12 PERSONNES

huile, pour graisser

175 g de biscuits aux pépites
    de chocolat

55 g de beurre

garniture

225 g de chocolat noir

225 g de chocolat au lait

55 g de sucre en poudre
    blond

250 g de fromage à la crème

425 ml de crème fraîche
    épaisse, fouettée

3 cuil. à soupe de crème
    irlandaise

crème fraîche
    ou crème aigre
    et fruits frais,
    en accompagnement

méthode

1 Chemiser un moule de 20 cm de diamètre
de papier d'aluminium et huiler. Mettre les
biscuits dans un sac en plastique, écraser
à l'aide d'un rouleau à pâtisserie et transférer
dans une jatte. Mettre le beurre dans une
casserole, chauffer à feu doux jusqu'à ce qu'il
ait fondu et incorporer aux miettes de biscuits.
Presser le tout dans le moule et mettre au
réfrigérateur 1 heure.

2 Pour la garniture, faire fondre le chocolat
au lait et le chocolat noir ensemble, mélanger
et laisser refroidir. Dans une jatte, battre le
fromage à la crème avec le sucre, incorporer la
crème fraîche et le chocolat fondu, et ajouter la
crème irlandaise.

3 Répartir la préparation obtenue dans le fond
de tarte, lisser la surface et couvrir. Mettre
au réfrigérateur 2 heures, jusqu'à ce que
la garniture soit bien ferme. Démouler sur
un plat de service, couper en parts et servir
accompagné de crème fraîche et de fruits frais.

riz au lait espagnol

ingrédients

POUR 4 À 6 PERSONNES

1 grosse orange

1 citron

1 litre de lait

250 g de riz rond

100 g de sucre en poudre

1 gousse de vanille, fendue

1 pincée de sel

125 ml de crème fraîche
    épaisse

sucre en grains, pour décorer
    (facultatif)

méthode

1 Zester l'orange et le citron, et râper finement le zeste. Rincer une poêle à l'eau froide et mettre sur le feu sans sécher.

2 Verser le lait dans la casserole, ajouter le riz et porter à ébullition à feu moyen à vif. Réduire le feu, ajouter le sucre, la gousse de vanille, les zestes et le sel, et laisser mijoter environ 30 minutes en remuant souvent, jusqu'à ce que la préparation soit crémeuse et que le riz soit tendre.

3 Retirer la gousse de vanille et ajouter la crème fraîche. Servir immédiatement, saupoudré de sucre en grains, ou laisser refroidir, couvrir et réserver au réfrigérateur. (En refroidissant, le riz au lait épaissit. Ajouter éventuellement un peu de lait.)

pudding estival

ingrédients

POUR 6 PERSONNES

675 g d'un mélange de fruits
tels que groseilles, cassis,
myrtilles et framboises

140 g de sucre en poudre

2 cuil. à soupe de crème
de framboise (facultatif)

6 à 8 tranches de pain blanc
de la veille, croûte retirée

crème fraîche épaisse,
en garniture

méthode

1 Dans une casserole, mettre les fruits et le sucre, porter à ébullition à feu très doux sans cesser de remuer délicatement de sorte que le sucre soit dissous. Cuire 2 à 3 minutes à feu très doux, jusqu'à ce que les fruits rendent leur jus, sans se déliter. Incorporer éventuellement la crème de framboise.

2 Chemiser un moule à pudding d'une contenance de 875 ml avec quelques-unes des tranches de pain en les découpant si nécessaire et répartir le contenu de la casserole dans le moule en réservant un peu de jus.

3 Couvrir le tout avec les tranches de pain restantes, ajouter une assiette et lester. Mettre au réfrigérateur et laisser reposer 8 heures.

4 Démouler le pudding, napper avec le jus réservé de façon à colorer les zones de pain restées blanches et servir garni de crème fraîche épaisse.

crèmes glacées
& sorbets

Les crèmes glacées et les sorbets sont si particuliers que l'on pourrait croire qu'il y a de la magie dans leur procédé de fabrication. Pourtant, il n'y a rien de plus simple à réaliser !

Lorsque vous préparez des glaces, il est utile – mais en aucun cas essentiel –, de posséder une sorbetière. Il vous suffit de mélanger les ingrédients, de les mettre dans la machine et de suivre les instructions du fabricant, en veillant à jeter un œil sur la recette pour vérifier qu'il ne faille pas ajouter certains ingrédients au cours du procédé de congélation. Si vous ne possédez pas de sorbetière, vous pouvez tout simplement transférer la préparation dans une jatte adaptée à la congélation, mettre 2 heures au congélateur puis battre à l'aide d'une fourchette. La préparation doit ensuite être remise au congélateur jusqu'à obtention d'une merveilleuse glace. Transférez la glace au réfrigérateur 30 minutes avant de servir, de sorte qu'elle soit moins dure.

Fort de toutes ces instructions, vous n'avez plus qu'à choisir la recette qui vous convient ! Vous trouverez ici une ou deux recettes très simples – la crème glacée à la banane et à la noix de coco, et la crème glacée aux chamallows – mais tenter la réalisation de recettes très complexes est aussi très gratifiant !

crème glacée au cappuccino

ingrédients

POUR 4 PERSONNES

150 ml de lait entier

600 ml de crème fouettée

4 cuil. à soupe de café
    fraîchement moulu

3 gros jaunes d'œufs

100 g de sucre en poudre

cacao en poudre,
    pour saupoudrer

grains de café enrobés
    de chocolat, pour décorer

méthode

1 Dans une casserole, verser le lait et 450 ml de crème fouettée,ajouter le café moulu, mélanger et porter au point de frémissement. Retirer du feu, laisser infuser 5 minutes et filtrer dans un filtre à café ou un tamis chemisé d'une étamine.

2 Dans une jatte, battre les jaunes d'œufs avec le sucre jusqu'à ce que le mélange blanchisse et fasse un ruban. Ajouter progressivement la préparation précédente sans cesser de remuer à l'aide d'une cuillère en bois et filtrer le mélange obtenu. Transférer dans la casserole rincée et cuire 10 à 15 minutes à feu doux sans cesser de remuer, jusqu'à obtention d'une consistance qui nappe la cuillère. Veiller à ne pas laisser bouillir de sorte que la préparation ne caille pas. Retirer du feu et laisser reposer 1 heure en remuant de temps en temps de façon à éviter la formation d'une peau.

3 Transférer la préparation obtenue dans une sorbetière et procéder selon les instructions du fabricant.

4 Battre la crème fouettée restante. Servir la crème glacée dans des coupes à dessert, garnie de crème fouettée, saupoudré de cacao en poudre et décoré de grains de café enrobés de chocolat.

crème glacée à la vanille

ingrédients

POUR 4 À 6 PERSONNES

300 ml de crème fraîche
   liquide et 300 ml de
   crème fraîche épaisse
   ou 625 ml de crème
   fouettée
1 gousse de vanille
4 gros jaunes d'œufs
100 g de sucre en poudre

méthode

1 Dans une casserole, verser les crèmes fraîches ou la crème fouettée. Ouvrir la gousse de vanille, gratter les graines et incorporer le tout dans la casserole. Porter au point d'ébullition sans laisser bouillir, retirer du feu et laisser infuser 30 minutes.

2 Dans une jatte, mettre les jaunes d'œufs et le sucre, battre jusqu'à ce que le mélange blanchisse et fasse un ruban. Retirer la gousse de vanille de la casserole et ajouter la crème vanillée progressivement dans la jatte sans cesser de remuer à l'aide d'une cuillère en bois. Filtrer le tout, transférer dans une casserole propre et cuire 10 à 15 minutes à feu doux sans cesser de remuer, jusqu'à ce que la préparation épaississe et nappe la cuillère. Veiller à ne pas laisser bouillir. Retirer du feu et laisser reposer 1 heure en remuant de temps en temps de façon à éviter la formation d'une peau.

3 Transférer la préparation dans une sorbetière et procéder selon les instructions du fabricant. Servir immédiatement ou transférer dans une jatte adaptée à la congélation, couvrir et conserver au congélateur.

crème glacée à la fraise

ingrédients

POUR 6 PERSONNES

225 g de sucre en poudre

150 ml d'eau

900 g de fraises fraîches,
   un peu plus pour décorer

jus d'un demi-citron

jus d'une demi-orange

300 ml de crème fouettée

méthode

1 Dans une casserole, mettre le sucre et l'eau, chauffer à feu doux sans cesser de remuer jusqu'à ce que le sucre soit dissous et porter à ébullition. Laisser bouillir 5 minutes sans remuer de façon à obtenir un sirop. Veiller à ne pas laisser brûler. Retirer immédiatement du feu et laisser reposer 1 heure.

2 Passer les fraises au travers d'un tamis en nylon de façon à obtenir une purée et mettre dans une jatte. Ajouter le sirop froid, le jus de citron et le jus d'orange, et mélanger. Battre la crème fouettée et réserver au réfrigérateur.

3 En cas d'utilisation d'une sorbetière, incorporer la préparation à base de fraises à la crème fouettée, transférer dans la machine et suivre les instructions du fabricant. À défaut de sorbetière, mettre la préparation à base de fraises dans une jatte adaptée à la congélation sans couvrir et mettre au congélateur 1 à 2 heures, jusqu'à ce que les bords commencent à prendre. Transférer dans une autre jatte et battre à l'aide d'une fourchette, ou mixer dans un robot de cuisine. Incorporer la crème fouettée et mettre au congélateur encore 2 à 3 heures, jusqu'à ce que la crème glacée soit ferme. Couvrir et conserver au congélateur. Servir décoré de fraises.

crème glacée à la myrtille

ingrédients

POUR 6 À 8 PERSONNES

425 ml de lait entier

1 gousse de vanille

250 g de sucre en poudre

4 jaunes d'œufs

225 g de myrtilles fraîches,
    sans les tiges, un peu plus
    pour décorer

6 cuil. à soupe d'eau

425 ml de crème fraîche
    fouettée

méthode

1 Dans une casserole, verser le lait, ajouter la gousse de vanille et porter au point d'ébullition. Laisser reposer 30 minutes et retirer la gousse de vanille.

2 Dans une jatte, battre 115 g de sucre avec les jaunes d'œufs jusqu'à ce que le mélange blanchisse et fasse un ruban. Ajouter le lait progressivement sans cesser de battre, filtrer le mélange obtenu et transférer dans une casserole. Chauffer 10 à 15 minutes à feu doux, jusqu'à obtention d'une consistance qui nappe la cuillère. Veiller à ne pas laisser bouillir. Retirer du feu et laisser reposer 1 heure en remuant de temps en temps.

3 Dans une autre casserole, mettre les myrtilles, le sucre restant et l'eau, chauffer à feu doux sans cesser de remuer jusqu'à ce que le sucre soit dissous et laisser mijoter 10 minutes, jusqu'à ce que les myrtilles soient très tendres. Passer la préparation au travers d'un tamis en nylon de façon à retirer les pépins et laisser refroidir.

4 Battre la crème fouettée, incorporer au mélange à base de lait et transférer dans une sorbetière. Juste avant la fin du processus de congélation, répartir la moitié de la préparation dans une jatte adaptée à la congélation, ajouter la moitié de la purée de myrtilles et répéter l'opération. Mettre au congélateur 1 à 2 heures, jusqu'à ce que la crème glacée soit ferme. Servir décoré de myrtilles fraîches.

crème glacée au citron

ingrédients

POUR 4 À 6 PERSONNES

2 ou 3 citrons

625 ml de yaourt à la grecque

150 ml de crème fraîche
épaisse

100 g de sucre en poudre

zeste d'orange coupé en fines
lanières, en garniture

méthode

1 Presser le jus des citrons de façon à obtenir 6 cuillerées à soupe, verser dans une jatte et ajouter le yaourt, la crème fraîche et le sucre. Bien mélanger le tout.

2 Transférer le tout dans une sorbetière et procéder selon les instructions du fabricant. À défaut de sorbetière, transférer la préparation dans une jatte adaptée à la congélation et congeler 1 à 2 heures sans couvrir, jusqu'à ce que les bords commencent à prendre. Transférer dans une autre jatte et battre à l'aide d'une fourchette ou mixer dans un robot de cuisine. Remettre au congélateur 2 à 3 heures, jusqu'à obtention d'une crème glacée homogène. Couvrir, réserver au congélateur et servir garni de lanières de zeste d'orange.

crème glacée à l'orange sanguine

ingrédients

POUR 4 À 6 PERSONNES

3 grosses oranges sanguines, lavées

85 ml de lait demi-écrémé

85 ml de crème fraîche liquide

125 g de sucre en poudre

4 gros jaunes d'œufs

450 ml de crème fraîche épaisse

$1/8$ de cuil. à café d'extrait de vanille

méthode

1 Zester 2 oranges en lanières, en réservant certaines pour la décoration. Râper le zeste de l'orange restante. Presser les oranges de façon à obtenir 125 ml de jus et réserver.

2 Dans une casserole, mettre le lait, les lanières de zeste et la crème fraîche liquide, porter à ébullition et retirer du feu. Laisser infuser 30 minutes.

3 Dans une jatte résistant à la chaleur, battre le sucre avec les jaunes d'œufs et battre jusqu'à ce que le mélange blanchisse.

4 Porter le mélange à base de lait de nouveau au point de frémissement, verser dans la jatte et bien mélanger. Rincer la casserole, remplir au tiers d'eau et porter au point de frémissement. Mettre la jatte sur la casserole en veillant à ce que la jatte ne touche pas l'eau et cuire 20 minutes, jusqu'à obtention d'une consistance qui nappe la cuillère.

5 Filtrer la préparation, transférer dans une jatte et incorporer le zeste râpé. Laisser reposer 10 minutes et ajouter le jus réservé, la crème fraîche épaisse et l'extrait de vanille. Transférer dans la sorbetière et procéder selon les instructions du fabricant. Servir décoré de lanières de zeste.

crème glacée à la banane

ingrédients

POUR 8 PERSONNES

3 bananes

2 cuil. à soupe de jus
de citron

1 cuil. à soupe de rhum blanc
(facultatif)

200 g de sucre glace

600 ml de crème fouettée

méthode

1 Couper les bananes en rondelles, mettre dans un robot de cuisine et ajouter le jus de citron. Réduire en purée fluide et transférer dans une jatte. À défaut de robot de cuisine, arroser les rondelles de bananes de jus de citron et passer le tout au travers d'un tamis en nylon de façon à obtenir une purée fluide. Ajouter le rhum et bien mélanger.

2 Tamiser le sucre glace dans la jatte et mélanger. Battre la crème fouettée et réserver au réfrigérateur.

3 En cas d'utilisation d'une sorbetière, incorporer la crème fouettée à la préparation à base de bananes, transférer le tout dans la sorbetière et procéder selon les instructions du fabricant. À défaut de sorbetière, mettre la préparation à base de bananes dans une jatte adaptée à la congélation et mettre au congélateur 1 à 2 heures sans couvrir, jusqu'à ce que les bords commencent à prendre. Transférer dans une autre jatte et battre à l'aide d'une fourchette, ou mixer dans un robot de cuisine. Incorporer la crème fouettée et remettre au congélateur 2 à 3 heures, jusqu'à ce que la crème glacée soit bien ferme. Couvrir et conserver au congélateur.

crème glacée à la noix de coco et à la banane

ingrédients

POUR 6 À 8 PERSONNES

85 g de crème de coco
en bloc, râpée

600 ml de crème fraîche
épaisse

225 g de sucre glace

2 bananes

1 cuil. à café de jus de citron

fruits frais, en garniture

méthode

1 Dans une jatte, mettre la crème de coco, couvrir d'eau bouillante et mélanger jusqu'à ce que la crème soit dissoute. Laisser refroidir.

2 Fouetter la crème fraîche avec le sucre. Réduire les bananes en purée avec le jus de citron et incorporer la crème sucrée et la crème de coco.

3 Transférer dans une jatte adaptée à la congélation et mettre une nuit au congélateur. Servir accompagné de fruits frais.

crème glacée à la pistache

ingrédients

POUR 4 PERSONNES

300 ml de crème fraîche
épaisse

150 g de yaourt nature épais

2 cuil. à soupe de lait

3 cuil. à soupe de miel

quelques gouttes de colorant
alimentaire vert

55 g de pistaches non salées,
concassées

praline à la pistache

huile, pour graisser

150 g de sucre cristallisé

3 cuil. à soupe d'eau

55 g de pistaches entières
non salées

méthode

1 Réduire la température du congélateur au minimum. Dans une jatte, mettre la crème fraîche, le yaourt, le lait et le miel, ajouter le colorant et mélanger. Mettre dans une jatte peu profonde adaptée à la congélation et mettre au congélateur 1 à 2 heures sans couvrir, jusqu'à ce que les bords commencent à prendre. Transférer dans une autre jatte, battre à l'aide d'une fourchette et incorporer les pistaches. Couvrir et mettre au congélateur encore 2 à 3 heures, jusqu'à ce que la crème glacée soit ferme. Il est également possible d'utiliser une sorbetière.

2 Pour la praline, mettre le sucre et l'eau dans une casserole et chauffer à feu doux sans cesser de remuer jusqu'à ce que le sucre soit dissous. Porter à ébullition sans remuer et laisser bouillir 6 à 10 minutes, jusqu'à obtention d'un caramel.

3 Retirer la casserole du feu, incorporer les pistaches et répartir le tout immédiatement sur une plaque huilée. Laisser prendre 1 heure dans un endroit frais, transférer dans un sac en plastique et briser à l'aide d'un marteau.

4 Environ 30 minutes avant de servir, retirer la crème glacée du congélateur et laisser revenir à température ambiante. Parsemer de praline et servir.

crème glacée à la cannelle

ingrédients

POUR 4 À 6 PERSONNES

300 ml de crème fouettée

1 cuil. à café de cannelle
en poudre

600 ml de crème anglaise

1 cuil. à soupe de jus
de citron

100 g de sucre glace

méthode

1 Dans une casserole, mettre la crème fouettée et la cannelle, mélanger et porter au point de frémissement. Retirer du feu et laisser reposer 30 minutes.

2 Dans une jatte, mettre la crème anglaise et le jus de citron, tamiser le sucre glace et bien mélanger. Verser dans la casserole et battre le tout.

3 En cas d'utilisation d'une sorbetière, mettre la préparation dans la machine et procéder selon les instructions du fabricant. À défaut de sorbetière, mettre la préparation dans une jatte adaptée à la congélation et mettre au congélateur 1 à 2 heures sans couvrir, jusqu'à ce que les bords commencent à prendre.

4 Transférer la préparation dans une autre jatte et battre à l'aide d'une fourchette, ou mixer dans un robot de cuisine. Remettre au congélateur 2 à 3 heures, jusqu'à ce que la crème glacée soit ferme. Couvrir et conserver au congélateur.

crème glacée aux noix et au sirop d'érable

ingrédients

POUR 6 PERSONNES

115 g de cerneaux de noix

150 ml de sirop d'érable

300 ml de crème fraîche
épaisse

200 ml de lait concentré
en boîte, froid

méthode

1 Concasser les noix dans un robot de cuisine et réserver.

2 Mélanger le sirop d'érable et la crème fraîche. Verser le lait concentré froid dans une jatte et battre jusqu'à ce qu'il ait doublé de volume et fasse un ruban. Ajouter le mélange à base de sirop d'érable et bien mélanger.

3 En cas d'utilisation d'une sorbetière, mettre la préparation dans la machine et procéder selon les instructions du fabricant. Incorporer les noix juste avant la fin du processus de congélation. À défaut de sorbetière, mettre la préparation dans une jatte adaptée à la congélation et mettre au congélateur 1 à 2 heures sans couvrir, jusqu'à ce que les bords commencent à prendre. Transférer dans une autre jatte et battre à l'aide d'une fourchette ou mixer dans un robot de cuisine. Incorporer les noix et remettre au congélateur 2 à 3 heures, jusqu'à ce que la crème glacée soit bien ferme. Couvrir et conserver au congélateur.

crème glacée
au chocolat noir

ingrédients

POUR 6 PERSONNES

2 œufs

2 jaunes d'œufs

115 g de sucre en poudre
blond

300 ml de crème fraîche
liquide

225 g de chocolat noir, haché

300 ml de crème fraîche
épaisse

4 cuil. à soupe de cognac

méthode

1 Dans une jatte résistant à la chaleur, mettre les œufs, les jaunes d'œufs et le sucre, et battre le tout. Dans une casserole, mettre la crème fraîche liquide et le chocolat, chauffer à feu doux jusqu'à ce que le chocolat ait fondu et porter au point d'ébullition sans cesser de remuer. Verser dans la jatte en battant vigoureusement et placer la jatte sur une casserole d'eau frémissante en veillant à ce que la jatte ne touche pas l'eau.

2 Cuire sans cesser de remuer jusqu'à obtention d'une consistance qui nappe la cuillère. Filtrer, transférer dans une autre jatte et laisser refroidir. Fouetter la crème fraîche épaisse avec le cognac et incorporer à la préparation précédente.

3 Transférer la préparation dans une sorbetière et procéder selon les instructions du fabricant. À défaut de sorbetière, mettre la préparation dans une jatte adaptée à la congélation, couvrir et mettre 2 heures au congélateur jusqu'à ce que la crème glacée soit ferme. Transférer dans une autre jatte et battre à l'aide d'une fourchette de façon à briser les cristaux et remettre au congélateur 2 heures. Mettre la crème glacée au réfrigérateur 30 minutes avant de servir.

crème glacée au chocolat et au miel

ingrédients

POUR 6 PERSONNES

500 ml de lait

200 g de chocolat noir, brisé en carrés

4 œufs, blancs et jaunes séparés

85 g de sucre en poudre

1 pincée de sel

2 cuil. à soupe de miel

12 fraises fraîches, lavées et équeutées

méthode

1 Dans une casserole, verser le lait, ajouter 150 g de chocolat et chauffer 3 à 5 minutes à feu moyen sans cesser de remuer, jusqu'à ce que le chocolat ait fondu. Retirer la casserole du feu et réserver.

2 Battre les jaunes d'œufs avec le sucre, excepté 1 cuillerée à soupe, jusqu'à ce que le mélange blanchisse. Incorporer le mélange précédent progressivement sans cesser de battre, verser dans une casserole et cuire à feu doux sans cesser de battre jusqu'à ce que la préparation ait épaissi. Couvrir de film alimentaire et mettre 30 minutes au réfrigérateur.

3 Monter les blancs d'œufs en neige ferme avec une pincée de sel, incorporer le sucre restant et battre jusqu'à obtention d'une consistance brillante et épaisse. Incorporer le miel et les blancs en neige à la préparation précédente, répartir dans 6 ramequins adaptés à la congélation et mettre au congélateur 4 heures.

4 Faire fondre le chocolat restant au bain-marie, enrober les fraises à demi et laisser prendre sur du papier sulfurisé. Mettre les ramequins au réfrigérateur 10 minutes avant de servir, accompagné de fraises au chocolat.

crème glacée au chamallow

ingrédients

POUR 4 PERSONNES

85 g de chocolat noir, brisé
    en carrés

175 g de chamallows blancs

150 ml de lait

300 ml de crème fraîche
    épaisse

fruits frais,
    en accompagnement

méthode

1 Dans une casserole, mettre le chocolat, le lait et les chamallows, chauffer à feu doux jusqu'à ce que le chocolat et les chamallows aient fondu, et retirer du feu. Laisser refroidir complètement.

2 Fouetter la crème fraîche, incorporer à la préparation précédente à l'aide d'une cuillère métallique et répartir dans un moule à cake. Mettre au congélateur 2 heures, jusqu'à ce que la crème glacée soit bien ferme. Cette crème glacée se conserve 1 mois au congélateur. Servir accompagné de fruits frais.

sorbet à la mangue

ingrédients

POUR 4 À 6 PERSONNES

2 grosses mangues mûres

jus d'un citron

1 pincée de sel

100 g de sucre

3 cuil. à soupe d'eau

méthode

1 Peler les mangues en procédant au-dessus d'une jatte de façon à recueillir le jus. Couper la chair de part et d'autre du noyau, mettre dans un robot de cuisine et ajouter le jus réservé, le jus de citron et le sel. Mixer jusqu'à obtention d'une purée et passer au travers d'un tamis en nylon.

2 Dans une casserole, mettre le sucre et l'eau, chauffer à feu doux sans cesser de remuer jusqu'à ce que le sucre soit dissous et porter à ébullition sans remuer. Retirer du feu et laisser tiédir.

3 Verser le sirop dans la purée de mangue, mélanger et laisser refroidir complètement. Mettre 2 heures au réfrigérateur.

4 En cas d'utilisation d'une sorbetière, mettre la préparation dans la machine et procéder selon les instructions du fabricant. À défaut de sorbetière, mettre la préparation dans une jatte adaptée à la congélation et mettre au congélateur 3 à 4 heures sans couvrir, jusqu'à ce que le sorbet ait légèrement pris. Transférer dans une autre jatte et battre à l'aide d'une fourchette, ou mixer dans un robot de cuisine. Remettre au congélateur 2 à 3 heures, jusqu'à ce que le sorbet soit bien ferme. Couvrir et conserver au congélateur.

sorbet à l'ananas et au citron vert

ingrédients

POUR 4 PERSONNES

225 g de sucre en poudre

600 ml d'eau

zeste râpé et jus de 2 citrons verts

1 petit ananas, pelé, coupé en quartiers puis en dés

biscuits, en accompagnement

méthode

1 Dans une casserole, mettre le sucre et l'eau, chauffer à feu doux sans cesser de remuer jusqu'à ce que le sucre soit dissous et porter à ébullition sans remuer. Laisser mijoter 10 minutes.

2 Incorporer le zeste râpé et la moitié du jus de citron, retirer du feu et laisser refroidir.

3 Réduire l'ananas en purée dans un robot de cuisine, ajouter au sirop froid et incorporer le jus de citron restant. Transférer dans une jatte adaptée à la congélation et mettre au congélateur jusqu'à ce que les bords commencent à prendre.

4 Transférer le sorbet dans une autre jatte, battre à l'aide d'une fourchette de façon à briser les cristaux et remettre au congélateur une nuit. Servir accompagné de biscuits.

sorbet à la groseille et à la liqueur de sureau

ingrédients

POUR 6 PERSONNES

100 g de sucre

600 ml d'eau

500 g de groseilles fraîches

125 ml de liqueur de fleur
de sureau

1 cuil. à soupe de jus
de citron

quelques gouttes de colorant
alimentaire vert (facultatif)

125 ml de crème fraîche
épaisse

méthode

1 Dans une casserole, mettre le sucre et l'eau, et chauffer à feu doux sans cesser de remuer jusqu'à ce que le sucre soit dissous. Porter à ébullition sans remuer, ajouter les groseilles entières et laisser mijoter 10 minutes en remuant de temps en temps, jusqu'à ce que les groseilles soient très tendres. Laisser tiédir 5 minutes.

2 Transférer dans un robot de cuisine, réduire en purée fluide et passer au travers d'un tamis en nylon de façon à retirer les pépins. Laisser refroidir au moins 1 heure.

3 Ajouter la liqueur de sureau et le jus de citron, mélanger et incorporer éventuellement le colorant. Ajouter la crème fraîche et mélanger.

4 En cas d'utilisation d'une sorbetière, mettre la préparation dans la machine et procéder selon les instructions du fabricant. À défaut de sorbetière, transférer la préparation dans une jatte adaptée à la congélation et mettre au congélateur 3 à 4 heures sans couvrir, jusqu'à ce que le sorbet ait commencé à prendre. Transférer dans une autre jatte et battre à l'aide d'une fourchette ou mixer dans un robot de cuisine. Remettre au congélateur 3 à 4 heures, jusqu'à ce que le sorbet soit ferme. Couvrir et conserver au congélateur.

sorbet aux fruits rouges

ingrédients

POUR 6 PERSONNES

175 g de groseilles, un peu
plus pour décorer

175 g de framboises, un peu
plus pour décorer

175 ml d'eau

100 g de sucre

150 ml de jus d'airelles

2 blancs d'œufs

méthode

1 Retirer les groseilles de leurs tiges, mettre dans une casserole et ajouter les framboises. Ajouter 2 cuillerées à soupe d'eau et cuire 10 minutes à feu moyen, jusqu'à ce que les fruits soient tendres. Passer le tout au travers d'un tamis en nylon de façon à obtenir une purée et rincer la casserole.

2 Mettre le sucre et l'eau restante dans la casserole, chauffer à feu doux sans cesser de remuer jusqu'à ce que le sucre soit dissous. Porter à ébullition et laisser bouillir 10 minutes sans remuer et sans laisser brunir. Retirer du feu, laisser refroidir au moins 1 heure et ajouter la purée de fruits et le jus d'airelles.

3 Mettre la préparation dans la sorbetière et procéder selon les instructions du fabricant. Monter les blancs d'œufs en neige et incorporer à la préparation juste avant que le sorbet ait pris. Achever le processus de congélation et servir parsemé de fruits frais.

crème glacée aux fruits rouges

ingrédients

POUR 4 PERSONNES

125 g de framboises

125 g de mûres

125 g de fraises

1 gros œuf

175 ml de yaourt nature

125 ml de vin rouge

2¼ cuil. à café de gélatine en poudre

fruits rouges frais, pour décorer

méthode

1 Mettre les framboises, les mûres et les fraises dans un robot de cuisine et mixer jusqu'à obtention d'une purée homogène. Passer la purée au travers d'un tamis en nylon de façon à retirer les pépins.

2 Séparer le blanc du jaune de l'œuf, incorporer le jaune et le yaourt à la purée de fruit et réserver le blanc.

3 Dans une jatte résistant à la chaleur, verser le vin, saupoudrer de gélatine et laisser prendre 5 minutes. Mettre la jatte sur une casserole d'eau frémissante et chauffer jusqu'à ce que la gélatine soit dissoute et ajouter progressivement à la préparation précédente sans cesser de battre. Transférer dans une jatte adaptée à la congélation et mettre au congélateur 2 heures, jusqu'à ce que la crème glacée ait commencé à prendre.

4 Monter le blanc d'œuf en neige très ferme, incorporer à la crème glacée et remettre au congélateur 2 heures, jusqu'à ce qu'elle soit bien ferme.

5 Servir la crème glacée décorée des fruits rouges de son choix.

sorbet au citron

ingrédients

POUR 6 PERSONNES

200 g de sucre
425 ml d'eau
6 à 9 gros citrons
rondelles de citron,
     pour décorer

méthode

1 Dans une casserole, mettre le sucre et l'eau, chauffer à feu doux sans cesser de remuer jusqu'à ce que le sucre soit dissous et porter à ébullition. Laisser bouillir 10 minutes sans remuer, jusqu'à obtention d'un sirop. Veiller à ne pas laisser brunir.

2 À l'aide d'un économe, prélever le zeste de 4 citrons en fines lanières. Retirer le sirop du feu, ajouter les lanières de zeste de citrons et laisser refroidir au moins 1 heure.

3 Presser le jus des citrons, filtrer et réserver 425 ml. Filtrer le sirop, verser dans une jatte et incorporer le jus de citron.

4 En cas d'utilisation d'une sorbetière, mettre la préparation dans la machine et procéder selon les instructions du fabricant. À défaut de sorbetière, transférer la préparation dans une jatte adaptée à la congélation et mettre au congélateur 3 à 4 heures sans couvrir, jusqu'à ce que le sorbet ait commencé à prendre. Transférer dans une autre jatte et battre à l'aide d'une fourchette ou mixer dans un robot de cuisine de façon à briser les cristaux. Remettre 3 heures au congélateur. Couvrir et conserver au congélateur ou servir garni de rondelles de citron.

granité au café

ingrédients

POUR 6 PERSONNES

2 cuil. à soupe de sucre

600 ml d'eau

55 g de café fraîchement
moulu

125 ml de crème fouettée,
en garniture

méthode

1 Dans une casserole, mettre le sucre et l'eau, chauffer à feu doux sans cesser de remuer jusqu'à ce que le sucre soit dissous et porter à ébullition. Retirer du feu, incorporer le café et laisser reposer 1 heure.

2 Passer dans un filtre à café ou au travers d'un tamis chemisé d'une étamine. Verser dans 2 jattes peu profondes adaptées à la congélation et mettre 30 minutes au congélateur sans couvrir.

3 Transférer le contenu des 2 jattes dans une troisième jatte et battre à l'aide d'une fourchette de façon à briser les cristaux. Remettre au congélateur 3 à 4 heures en brisant les cristaux toutes les 30 minutes, jusqu'à obtention d'un granité. Couvrir et conserver au congélateur.

4 Servir dans des verres, brisé en petits cristaux et garni d'un peu de crème fouettée.

sorbet au chocolat

ingrédients

POUR 6 PERSONNES

55 g de cacao en poudre

150 g de sucre en poudre blond

2 cuil. à café de café soluble en poudre

500 ml d'eau

biscuits, en accompagnement

méthode

1 Dans une petite casserole, tamiser le cacao en poudre, ajouter le sucre, le café soluble et un peu d'eau, et mélanger jusqu'à obtention d'une pâte à l'aide d'une cuillère en bois. Incorporer progressivement l'eau restante, porter à ébullition à feu doux et laisser mijoter 8 minutes en remuant souvent.

2 Retirer la casserole du feu et laisser refroidir. Transférer la préparation dans une jatte, couvrir de film alimentaire et mettre au réfrigérateur jusqu'à ce qu'elle soit bien froide. En cas d'utilisation d'une sorbetière, transférer la préparation dans la machine et procéder selon les instructions du fabricant. À défaut de sorbetière, transférer la préparation dans une jatte adaptée à la congélation, couvrir et mettre au congélateur 2 heures. Retirer du congélateur, briser les cristaux et remettre au congélateur 6 heures en battant de nouveau toutes les 2 heures.

3 Mettre le sorbet au réfrigérateur 30 minutes avant de servir, accompagné de biscuits.